SACRAMENTO PUBLIC LIBRARY
828 "I" STREET
SACRAMENTO, CA 95814

2/2010

S0-AVH-608

Б. Гулько, В. Корчной,
В. Попов, Ю. Фельштинский

КГБ
играет
в шахматы

Москва 2009

ТЕРРА ◈ TERRA

КНИЖНЫЙ КЛУБ

УДК 323 + 327
ББК 66.3 + 66.4
К 11

Оформление художника

А. БАЛАШОВОЙ

К 11   **КГБ** играет в шахматы / Б. Гулько, В. Корчной,
В. Попов, Ю. Фельштинский. — М.: ТЕРРА—
Книжный клуб, 2009. — 208 с.

ISBN 978-5-275-02118-9

Советская система не была бы столь бессмысленной, какой она была на самом деле, если бы не обеспечила такой «прибыльный» для себя вид спорта и отдыха, как шахматы, не только Шахматной федерацией, не только отделом в Спорткомитете СССР, но и плотной опекой со стороны «вооруженного отряда коммунистической партии» — КГБ.

Ввиду секретного характера работы КГБ его работа в отношении ведущих советских шахматистов описана мало и, главное, однобоко, в основном, шахматистами, имевшими неудовольствие в своей профессиональной жизни сталкиваться с «заботой» КГБ. Теперь у нас появилась уникальная возможность познакомиться с работой КГБ «на шахматном фронте» изнутри этой организации.

Книга с красноречивым заглавием «КГБ играет в шахматы» написана несколькими авторами: В. К. Поповым — бывшим сотрудником КГБ СССР; Ю. Г. Фельштинским — доктором исторических наук автором публицистических изданий; Б. Ф. Гулько — международным гроссмейстером, профессиональным шахматистом, чемпионом СССР 1977 года; В. Л. Корчным — четырехкратным чемпионом Советского Союза по шахматам, двукратным победителем межзональных турниров, пятикратным чемпионом Европы.

УДК 323+327
ББК 66.3+66.4

© Б. Гулько, 2009
© В. Корчной, 2009
© В. Попов, 2009
© Ю. Фельштинский, 2009
© ТЕРРА—Книжный клуб, 2009

ISBN 978-5-275-02118-9

Об авторах

Гулько Борис Францевич — родился в Германии в 1947 г., жил в Москве. Закончил факультет психологии Московского университета, четыре года работал научным сотрудником.

С 1975 г. — международный гроссмейстер, профессиональный шахматист. Чемпион СССР 1977 г., дважды был чемпионом Москвы.

Семь лет — с 1979 по 1986 г. — отказник. После тяжелой борьбы — три голодовки, месяц ежедневных демонстраций с арестами — эмигрировал в Америку.

Чемпион США 1994 и 1999 гг. В 1994 г. — среди восьми претендентов на матч с чемпионом мира, в 2000 г. — среди 16 участников 1/8 финала первенства мира. Победитель многих международных и национальных шахматных турниров. Имеет позитивный счет с Гарри Каспаровым — 3 победы, 1 поражение и 4 ничьи.

Автор статей и эссе как на шахматные, так и на нешахматные темы, публиковавшихся в США, Израиле, России.

Корчной Виктор Львович — родился в 1931 г. в Ленинграде. Закончил исторический факультет Ленинградского университета. Советский, затем швейцарский шахматист, гроссмейстер, претендент на звание чемпиона мира с начала 60-х гг. XX века.

Является четырехкратным чемпионом Советского Союза по шахматам (1960, 1962, 1964, 1970), двукратным победителем межзональных турниров (1973, 1987) и матчей претендентов (1977, 1980), пятикратным чемпионом Европы. Дважды (в 1978 и 1981 гг.) участвовал в матчах за звание чемпиона мира по шахматам (с Анатолием Карповым), а также в финальном матче претендентов в 1974 г. (с ним же).

Из-за притеснений, организованных КГБ и советским правительством, отказался возвращаться с турнира в Амстердаме (лето 1976 г.), поселился в Швейцарии и получил (1994) швейцарское гражданство. Выступает на международных соревнованиях за Швейцарию.

Попов Владимир Константинович — родился в 1947 г. в Москве. В 1966—1969 гг. проходил срочную службу в Советской Армии в Восточной Германии. В 1969—1972 гг. работал слесарем-испытателем в конструкторском бюро Ильюшина, одновременно учась на вечернем факультете Всесоюзного юридического института.

В 1972—1974 гг. — сотрудник 10-го отдела КГБ, делопроизводитель в секретариате, младший оперуполномоченный 2-го отделения (спецпроверка выезжающих за границу). В 1974—1977 гг. — младший оперуполномоченный, затем оперуполномоченный 2-го отделения 1-го отдела Пятого управления КГБ (отделение курировало все творческие союзы).

В 1977—1989 гг. — оперуполномоченный, затем старший оперуполномоченный 3-го отделения 11-го отдела Пятого управления КГБ (отделение курировало канал международного спортивного обмена).

В 1989—1990 гг. — заместитель начальника 12-й группы Пятого управления КГБ (координация работы с «друзьями» — государственная безопасность стран Варшавского договора).

В январе 1990 г. подал рапорт об отставке, однако сразу уволен не был. С начала 1990 по октябрь 1991 г. — консультант Центра общественных связей КГБ (бывшее пресс-бюро КГБ).

От участия в действиях КГБ во время ГКЧП отказался уже 19 августа 1991 г., в первый день путча. Уволен в октябре 1991 г. в звании подполковника. В 1996 г. эмигрировал в Канаду, где проживает в настоящее время.

Фельштинский Юрий Георгиевич — родился в 1956 г. в Москве. В 1974 г. поступил на исторический факультет МГПИ им. Ленина. В 1978 г. эмигрировал в США, где продолжил изучение истории сначала в Брандайском университете, затем в Ратгерском, где получил степень доктора философии — Ph. D. (история). В 1993 г. защитил докторскую диссертацию в Институте российской истории Российской академии наук (РАН). Редактор-составитель и комментатор нескольких десятков томов архивных документов, автор книг «Большевики и левые эсеры» (Париж, 1985); «К истории нашей закрытости» (Лондон, 1988; Москва, 1991); «Крушение мировой революции» (Лондон, 1991; Москва, 1992); «ФСБ взрывает Россию» (Киев, 2006; Таллин, 2007), «Вожди в законе» (Москва, 2008); «Корпорация: Россия и КГБ во времена президента Путина» (Нью-Йорк, 2009). Живет в Бостоне.

Борис Гулько

ПРЕДИСЛОВИЕ

Шахматы доставляли советским людям материи, бывшие в СССР в большом дефиците: свободу самовыражения без идеологического контроля; честное соревнование, результат которого определялся не принадлежностью к коммунистической партии и к «правильной» национальности, а личными качествами; для счастливцев, которые могли зарабатывать на жизнь шахматами, — приличный достаток и высшее благо для отделенных «железным занавесом» от мира и людей — путешествия за границу на соревнования. В обмен на относительную свободу ведущие шахматисты приносили правящей системе международный престиж — советские шахматисты были сильнейшими в мире.

Советская система не была бы столь бессмысленной, какой она была на самом деле, если бы не обеспечила такой «прибыльный» для себя вид спорта и отдыха, как шахматы, не только Шахматной федерацией, не только отделом в Спорткомитете СССР, но и плотной опекой со стороны «вооруженного отряда коммунистической партии» — КГБ.

Ввиду секретного характера работы КГБ его работа в отношении ведущих советских шахматистов описана мало, и, главное, однобоко, в основном шахматистами, имевшими неудовольствие в своей профессиональной жизни сталкиваться с «заботой» КГБ. Теперь у нас появилась уникальная возможность познакомиться с работой КГБ «на шахматном фронте» изнутри этой организации, поскольку один из бойцов шахматного фронта КГБ — подполковник КГБ Владимир Попов, — переселившись на Запад, написал вместе с историком Юрием Фельштинским очерк о деятельности КГБ среди спортсменов, и прежде всего шахматистов.

Прежде чем говорить о книге «КГБ играет в шахматы», обсудим отношения ведущих советских шахматистов с властью.

Создатель советской шахматной школы, первый советский чемпион мира Михаил Ботвинник был идейным, хоть и своеобразным коммунистом. Он с юности поставил перед собой задачу принести своей стране звание чемпиона мира. А, как хорошо известно из коммунистической теории и практики, для достижения цели все средства хороши. Так, на один из самых известных турниров, где встречались восемь лучших шахматистов — отборочный АВРО турнир 1938 года в Голландии, определявший соперника для матча с чемпионом мира, — был приглашен представлять Советский Союз чемпион СССР Григорий Левенфиш, а поехал на этот турнир вместо Левенфиша коммунист Михаил Ботвинник (к Левенфишу советское правительство относилось с недоверием и пускать за границу боялось).

Помогала или мешала власть выигрывать Ботвиннику? Видимо, и то и другое. В середине матч-турнира на первенство мира 1948 года, принесшего Ботвиннику звание чемпиона мира, гроссмейстера вызвали на заседание Секретариата ЦК Коммунистической партии, где один из ближайших соратников Иосифа Сталина Андрей Жданов сказал Ботвиннику: «Мы опасаемся, что чемпионом мира станет <американский шахматист> Решевский. Как бы вы посмотрели, если бы советские участники проиграли вам нарочно?» — «Я потерял дар речи, — вспоминает Ботвинник. — Для чего Жданову было меня унижать? <...> Снова обретаю дар речи и отказываюсь наотрез».

Конечно, такая встряска не могла пройти бесследно, и свою следующую партию в турнире — как раз Решевскому — Ботвинник проиграл.

Отнявший в 1957 году у Ботвинника на год звание чемпиона мира Василий Смыслов «советским человеком», как представляла себе это коммунистическая партия, не был. В 1977 году, когда меня за неподписание письма против Корчного на год исключили из всех турниров, я на юбилейном — в честь 50-летия октябрьского переворота — соревновании в Ленинграде исполнял функции тренера Смыслова. Ревностный христианин, он во время бесед со мною на прогулках в Александро-Невской лавре называл советскую власть не иначе как бесовской. Однако во времена, когда судьба поездок на важнейшие турниры решалась не приглашением организаторов или чемпионскими званиями, а суждениями спортивных бюрократов, Смыслов искусно пользовался помощью этой «бесовской власти». Он писал письма своим болельщикам в высших эшелонах власти, исключал из турниров своих конкурентов и занимал освобождавшиеся места.

Следующий по возрасту, но не по порядку, девятый чемпион мира — Тигран Петросян — членом партии, насколько я знаю, не был, но охотно сотрудничал с КГБ. О том, что Петросян был информатором КГБ, упоминается в настоящей книге.

Незабвенный Михаил Таль, восьмой чемпион мира, с КГБ не сотрудничал, был человеком аполитичным и натерпелся от власти, партии и КГБ немало. Все, к чему он стремился в своей жизни, было участие в турнирах, а властям почему-то нужно было, чтобы гениальный рижанин в турнирах не участвовал. Таль шел на компромиссы, чтобы удовлетворить свою «всепоглощающую страсть к самовыражению», как определил отношение Таля к шахматной игре в своем очерке о нем Геннадий Сосонко. Таль подписал грязные филиппики против Корчного, когда тот стал невозвращенцем. Еще раньше Таль стал тренером «любимца партии», сотрудника КГБ Карпова, и немало помог тому в матчах на первенство мира с Корчным. Это дало возможность Талю сыграть в нескольких значительных турнирах и выиграть немало замечательных партий.

Рассказывают, что кончилась работа Таля на Карпова неожиданно. В анкете, в опросе по определению лучшего шахматиста 1983 года, Таль проставил «Каспаров» — и моментально стал врагом Карпова. Начиналась беспрецедентная борьба Карпова с Каспаровым, и Талю как тренеру Карпов уже не доверял.

Книга «КГБ играет в шахматы» отвечает на интересный вопрос, обсуждавшийся в шахматной периодике. Во время шахматной олимпиады в Нови-Сад (Сербия) в 1990 году Таль сообщил Корчному, что в случае если бы Корчной выиграл турнир у чемпиона мира Карпова, КГБ должно было Корчного убить. Об этом Таль узнал, работая тренером Карпова. Когда Корчной опубликовал содержание этого разговора, редактор журнала «Шахматное обозрение» Александр Рошаль (упоминаемый в настоящей книге как агент КГБ) написал в своем журнале, что Таль, очевидно, шутил и все слухи о подготовке физического уничтожения Корчного — «нелепые и далекие от реальности». В очерке «КГБ играет в шахматы» подтверждается, что убийство Корчного действительно готовилось.

Первым выдающимся шахматистом-диссидентом был десятый чемпион мира по шахматам Борис Спасский. Во времена своего чемпионства, во время истерии в советской прессе по поводу судебного преследования в США Анджелы Дэвис, члена коммунистической партии, обвиненной в участии в покушении на двух агентов ФБР, Спасский не подписал письмо в защиту «прогрессивной» деятельницы. В те времена (знаю по своему опыту неподписания письма с осуждением Корчного) отказ подписать официальное письмо жестоко карался.

Впрочем, Спасский и не скрывал своего диссидентства. Будучи человеком артистичным, он получал особое удовольствие от того, что в присутствии высоких советских чинов, штатно или внештатно сотрудничавших с КГБ, говорил что-нибудь обидное для коммунистической власти или талантливо изображал картавого Ленина, говорящего какую-нибудь чушь.

Я слышал от Спасского, что его неудача в знаменитом матче на первенство мира с Бобби Фишером отчасти объяснялась бездарным руководством партии и КГБ, опекой, навязанной ему и его сотрудникам во время подготовки к матчу. «Они разрушили меня», — описал свои ощущения Спасский.

Активную борьбу со Спасским КГБ вел в период, когда Борис решил жениться на сотруднице французского посольства в Москве Марине и позже, когда он стремился уехать к ней во Францию. К этому времени относятся описанные в книге мерзкие, к счастью безуспешные, попытки заразить белье француженки спорами венерической болезни.

Спасский опасался, как он рассказывал мне, что борьба с системой несет ему гибель, и только энергичная и действенная помощь западногерманского сталелитейного магната и покровителя шахмат Эгона Эвертса позволила Спасскому в конце концов покинуть СССР.

Один из главных героев очерка — двенадцатый чемпион мира Анатолий Карпов. О сотрудничестве Карпова с КГБ можно было подозревать и до написания данной книги. Теперь мы знаем даже агентурную кличку двенадцатого чемпиона мира — Рауль.

Обладающий сильным интеллектом, великий игрок и великий манипулятор, Карпов превосходно использовал возможности, открывшиеся перед ним как агентом КГБ. Одних шахматистов он заставил идти к себе в помощники. Так, Талю, как мне рассказывали общие знакомые, было объяснено, что после доноса, который написал на него Петросян, ему в очередной раз закроют выезд за границу, и единственный способ «отмыться» и сохранить возможность играть — это пойти в тренеры к «любимцу советского народа, партии и КГБ» Анатолию Карпову. Интересно, существовал ли в действительности донос Петросяна?

Впрочем, многие крупные шахматисты и сами охотно шли в тренеры к Карпову, поскольку тот владел самой ценной для шахматистов валютой — распределением поездок на международные турниры. Мне менеджер Карпова Александр Бах в июне 1979 года от имени чемпиона мира предлагал, если я заберу назад прошение об эмиграции, участие той же осенью в самом престижном турнире тех лет — в Тилбурге (Голландия). Так как других возможностей использовать меня «для пользы дела» не представилось, на долгие семь лет меня просто отправили «в отказ». Правда, как становится ясно из настоящей книги, только первые три с половиной года меня и мою жену не выпускали «для пользы дела». Следующие три с половиной года мы сидели «в отказе», так как Карпов обиделся, что мы заступились за сына Виктора Корчного — Игоря, ни за что посаженного в тюрьму в качестве заложника.

Интересна история создания статуса Карпова как единственного защитника советского отечества. После первого матча Корчного с Карповым в Москве осенью 1974 года Корчного затравили в прессе и лишили почетного звания Заслуженный мастер спорта. Ему снизили стипендию и на время закрыли выезд за границу. Потом Корчного выпустили для участия в заграничном турнире. И когда Корчной из поездки не вернулся, у советской родины остался лишь один советский претендент на звание чемпиона мира, заручившийся всесторонней помощью партии и КГБ, — Анатолий Карпов. Было ли это результатом блестяще разыгранной комбинации или счастливым для Карпова стечением обстоятельств, нам может рассказать лишь сам бывший чемпион мира Карпов. Хотя зачем ему это нам рассказывать?

По такому же сценарию развивались отношения Карпова с его следующим соперником, еще одним героем этой книги — тринадцатым чемпионом мира Гарри Каспаровым. Почему Каспаров не бежал из Советского Союза после срыва КГБ его матча с Корчным летом 1983 года и своей фактической дисквалификации? Почему он не сделал этого после того, как против нескольких его помощников были выдвинуты обвинения в шпионаже, инспирированные КГБ, когда Карпову становилась известной информация, могущая, по его мнению, быть полученной только агентурным путем, т. е. через КГБ, я не знаю.

О дисквалификации Каспарова... Каспаров в своем многотомнике о чемпионах мира описывает, как Карпов пригласил его к себе домой и уговорил его, тогда еще неопытного, согласиться со срывом своего матча с Корчным. За это Каспарову было обещано, что советская федерация скорее расколет ФИДЕ, чем даст его в обиду. После дисквалификации Каспарова эти обещания были забыты.

О шпионах и агентах... В шахматном мире обсуждалась и ставилась под сомнение оправданность обвинений, выдвигавшихся Каспаровым. После прочтения настоящего очерка становится ясным, что кроме прямого шпионажа могли быть использованы и прослушивание, и «проникновение Д», и «проникновение Т», и наружное наблюдение, и кто его знает что еще. Хотя мог использоваться, конечно же, и прямой шпионаж, т. е. агенты.

Борьба между Карповым и Каспаровым велась на двух полях сражения — на шахматной доске и среди высокого начальства, определявшего жизнь и жизнедеятельность советских людей. Здесь выделяются два события великого противостояния этих не менее великих шахматистов — организованная дисквалификация Каспарова на его матче с Корчным в 1983 году с последующим удивительным спасением этого матча, и скандальное прекращение первого матча на первенство мира между Карповым и Каспаровым в 1984 году в Москве. Какие силы были задействованы в подковерной борьбе двух великих шахматистов, кто принимал судьбоносные решения в этой борьбе? По моей версии, некоторые из этих решений принимались людьми из Политбюро ЦК КПСС. В книге «КГБ играет в шахматы» утверждается, что решения принимались в КГБ. Судя по тому, с какой легкостью работники госбезопасности вскоре сменили функционеров коммунистической партии в руководстве России, возможно, что уже и тогда все решал КГБ. И значит, правы авторы очерка. Точно мы это узнаем, когда какой-нибудь бывший член Политбюро того времени, скажем Михаил Горбачев, уедет на Запад и опубликует здесь свои воспоминания.

Нелегкая занесла в список шахматистов, с которыми боролся КГБ, мое имя и имя моей жены Ани. Семь долгих лет они «разрабатывали» нас. Видимо, попытка легальной эмиграции из Советского Союза двух недавних чемпионов СССР подрывала какие-то устои, на которых зиждились власть и ее охранитель — КГБ. Сейчас, читая книгу о КГБ и шахматах, я поражаюсь, какие ресурсы бывшая сверхдержава бросала на борьбу со мной; профессиональная и душевная деятельность какого количества людей заключалась в попытке скрутить нас. Слава Богу, в те годы я об этом мог только догадываться! Знай я тогда, что все то время любой звук, издававшийся в нашей квартире, фиксировался, передавался и анализировался «специалистами» КГБ, не сошел ли бы я с ума? Каково было постоянно жить «на публике» у заинтересованных слушателей из КГБ?

Впрочем, большая часть психологической работы спецов КГБ уходила впустую. Я просто не понимал ее тонкостей. В книге описано, как меня доставили в кабинет большого начальника на Лубянке — чтобы поразить и испугать. Начальник, к которому меня привели —

генерал Абрамов, — по каким-то своим соображениям представился полковником. Для меня тогда было все едино — что полковник, что генерал. А насчет трепета... помню, было одно любопытство.

Это сейчас я испытываю своеобразную гордость, прочитав в очерке, что после нашей первой демонстрации у Дома Туриста в 1982 году, орангутангоподобное существо, которое волокло нас с Аней к милицейской машине, было не рядовым гэбэшным бандитом, как я тогда считал, а начальником какого-то отдела КГБ, подполковником Эрнстом Давнисом.

Впрочем, когда доходило до дела, КГБ, несмотря на тотальное прослушивание, на наружное наблюдение, на агентурные данные, частенько проваливался. В очерке Попова—Фельштинского указано, что в моей «разработке были задействованы все средства, имевшиеся в оперативных подразделениях советской госбезопасности [...] На продолжении разработки Гулько 11-м отделом Пятого управления КГБ после отказа ему в выезде настоял заместитель начальника 11-го отдела подполковник Перфильев. Ему казалось на первых порах, что данная разработка даст возможность постоянно напоминать о себе руководству Пятого управления КГБ победными реляциями о борьбе с Гулько. В действительности разработка Гулько приносила с каждым днем все больше проблем и практически каждый день демонстрировала присущие деятельности Перфильева провалы», — пишут авторы очерка. Его провалы — наши победы.

Думаю, нашу мучительную победу в семилетнем противостоянии с КГБ определили не только навыки борьбы, приобретенные в нашей шахматной практике. Мы с Аней были частью мистического процесса, когда многотысячная масса советских евреев, одной из наиболее бесправных и затравленных частей населения советской империи, смело ввязалась в казавшееся безнадежным дело — попытку добиться возможности покинуть Советский Союз. И несмотря на могущество противившегося этому и преследовавшего нас КГБ, евреи добились своей цели. В тяжелые моменты нашей кампании нам все-таки каждый раз удавалось переиграть КГБ, провести акцию, а в нужный момент уйти от преследователей.

В центре этой книги судьбы шести шахматистов. Пять из них противостояли КГБ. Все они добились своих целей. Борис Спасский благополучно женился на француженке и покинул СССР. Виктор Корчной через пять лет после своего побега из СССР и двух с половиной лет тюремного заключения сына добился для своей семьи возможности эмигрировать. Гарри Каспаров, несмотря на наличие у Карпова такого союзника, как КГБ, выиграл и доблестно удерживал звание чемпиона мира. Даже окончив свою шахматную карьеру, он продолжает борьбу с КГБ-ФСБ, в настоящее время овладевшим руководством России. Я и моя жена Аня всего за семь лет борьбы выиграли свой главный приз — не жить в стране КГБ.

Конечно, за эти победы подчас приходилось платить годами тюрьмы для близких, разрушенной карьерой и нервной системой, разочарованием в каких-то друзьях. Но за победы, шахматисты это знают, платить приходится всегда.

Шестой герой этой книги, Анатолий Карпов, боролся на другой стороне баррикады. И тоже добивался успеха. Ему удалось сыграть два матча на первенство мира с Виктором Корчным, когда его организация держала заложником в тюрьме сына его соперника. Перечень достижений Карпова в его «политической» борьбе с Каспаровым слишком длинен, чтобы повторять его вновь. Остается лишь поражаться, что Каспаров все же выиграл у Карпова титул чемпиона мира. И семь лет нашего «отказа» — это достижение Карпова и его коллег из КГБ. Сейчас, когда руководство КГБ частично приватизировало Россию, Карпову тоже достался свой кусок пирога.

Можно сделать вывод, что владение методами шахматной борьбы, ментальными и психологическими, помогают в столкновениях с КГБ независимо от того, в какую эпоху эти столкновения происходят. В 2007 году Гарри Каспаров был арестован за... Да ни за что, просто был арестован и заключен на пять дней в изолятор при Управлении внутренних дел Москвы, на Петровке. Анатолий Карпов навестил это управление и передал для Каспарова шахматный журнал, чтобы Каспарову было не скучно сидеть в камере. Этот эпизод мог бы стать символом заботы КГБ о шахматистах.

В. Попов, Ю. Фельштинский

КГБ
играет
в *Ш*ахматы

Во времена СССР и КПСС существовала организация, имя которой по сей день приводит в ужас как граждан страны, где эта организация была создана и много десятилетий действовала, так и жителей других стран. Называлась эта организация Комитет государственной безопасности (КГБ) СССР. В документах советской коммунистической партии КГБ назывался «вооруженным отрядом партии». Эта организация, как и ее предшественники — ВЧК, ОГПУ, НКВД и МГБ, создавалась монопольно правящей в СССР партией — КПСС — с целью беспощадной борьбы с ее противниками как внутри страны, так и за ее пределами. Партия указывала на врагов, а органы безопасности страны, будучи орудием борьбы, безжалостно с ними расправлялись. Жалость к врагам партии проявлять было опасно. Тот, кто недостаточно жесток с врагами, — либо их пособник, либо сам враг. А как поступать с врагами учил «великий вождь всех народов» Сталин: «Если враг не сдается — его уничтожают».

Враги коммунистической партии Советского Союза в разные времена истории страны были разными, но самыми опасными были идеологические противники правящего режима. Их компартия боялась больше всего и всегда была готова к бескомпромиссной и беспощадной с ними борьбе. Стратегию этой борьбы разрабатывал главный орган коммунистической партии СССР — Центральный Комитет, и в частности Отдел агитации и пропаганды: орган, которому были подчинены все идеологические структуры страны, включая средства массовой информации. Последние, выполняя указания «руководящей и направляющей» силы страны — КПСС, замутняли сознание советских граждан и международного сообщества потоками лживой информации, целью которой было восхваление коммунистического режима в Советском Союзе и руководителей партии.

Для этого все средства были хороши. Одним из мощных факторов в идеологической борьбе с Западом являлась международная спортивная арена. Победы советских спортсменов в различных видах спорта на чемпионатах мира и Олимпийских играх должны были, по мнению руководителей КПСС, наглядно демонстрировать всему миру преимущество советской государственной системы перед западными демократиями.

С середины 1970-х годов и до начала так называемой перестройки в Советском Союзе отдел пропаганды ЦК КПСС возглавлял бывший первый секретарь ЦК ВЛКСМ Евгений Тяжельников, а его заместителем был опытный партаппаратчик Марат Грамов, земляк и друг будущего зачинателя перестройки Михаила Горбачева.

Личности идеологов Тяжельникова и Грамова заслуживают более подробного описания. Будучи вторым по значимости в стране идеологом (после знаменитого долгожителя партийного олимпа Суслова), Тяжельников настолько полюбил высокое искусство, что в стремлении более глубокого к нему приобщения распространил свою любовь и на отдельных выдающихся его представителей. Любовь же его вызывали преимущественно мужчины — артисты балета прославленного Большого театра. Однажды одной из ведущих балерин Большого театра во время репетиции позвонил неизвестный, назвавшийся приятелем ее мужа, артиста балета Большого театра, известного в стране и за рубежом не менее чем и его знаменитая супруга. Неизвестный сообщил, что звонит по просьбе ее мужа. У него сердечный приступ, и он срочно просит приехать ее домой. Верная жена примчалась домой, где застала мужа в объятиях идеолога Тяжельникова. Скандал был громким, на всю страну. Тяжельникова в срочном порядке подальше от позора отправили послом в Румынию.

Его заместитель Грамов не отличался ни высоким интеллектом, ни склонностью к элитарности. Был он серым и заурядным аппаратчиком, таким же, как и их общий с Тяжельниковым шеф — секретарь ЦК КПСС по идеологии Михаил Суслов, имевший прозвище «Человек в футляре». Суслов панически боялся простуд и поэтому всегда не по сезону тепло был одет. В холодную погоду пальто его всегда было застегнуто на все пуговицы, включая последнюю — у горла, а на ногах красовались неизменные галоши. Знавшие его причуды охранники зданий ЦК КПСС из числа сотрудников Девятого управления КГБ, открывая перед ним двери при входе или выходе из здания, обязательно должны были открывать их поочередно. Не дай бог одновременно, когда между дверями возникает сквозняк. Незнание этого стоило карьеры одному из сотрудников. Стараясь угодить Суслову, он распахнул перед ним внутреннюю и внешнюю двери, за что немедленно был уволен.

С таким шефом могли уживаться только серые и безликие. Грамов не случайно получил среди людей, его знавших и общавшихся с ним, прозвище Огурцов — по имени одного из героев кинокомедии 1960-х годов «Карнавальная ночь», поставленной Эльдаром Рязановым. Огурцова, глупого и недалекого советского бюрократа, сыграл прекрасный актер Игорь Ильинский. После выхода фильма на экраны фамилия Огурцов стала нарицательной.

Долгие годы Грамов вынашивал мечту возглавить советское спортивное движение. Привлекали и возможность зарубежным поездок, и представительство в международных спортивных кругах, и, кроме того, получение доступа к большим денежным средствам, затрачиваемым СССР на достижение спортивных побед. Как человек, который многие годы курировал по линии ЦК КПСС советский большой спорт, Грамов более чем кто-либо хорошо представлял себе все выгоды такой должности. На пути к его мечте стоял человек яркий и неординарный, бывший 1-й секретарь ЦК ВЛКСМ, а затем глава Госкомспорта СССР Сергей Павлов. Как у любой неординарной личности, были у него и враги, коварные и могущественные. После проведения московской летней Олимпиады 1980 года, на которой советские спортсмены завоевали рекордное количество медалей, поскольку Олимпиаду бойкотировали ведущие спортсмены мира, Павлов неожиданно для всех был отправлен в Монголию послом СССР. Это было позорной ссылкой для деятельного и честолюбивого

Павлова, в итоге стоившей ему жизни. У него развилось тяжелое заболевание, и вскоре он умер.

После опалы Павлова и ссылки его в Монголию управление советским спортом принял на себя Грамов, имевший мощного покровителя в лице своего приятеля (к тому времени генерал-лейтенанта, начальника Пятого управления КГБ) И. П. Абрамова. Заместителем Грамов взял спортивного обозревателя газеты «Красная Звезда» Вячеслава Гаврилина, агента 1-го отдела Третьего управления КГБ (позднее это управление было переименовано в Третье Главное управление КГБ). Из простого сотрудника газеты волей своего патрона Грамова Гаврилин стал заместителем председателя Госкомспорта СССР.

Первый вице-президент Международного Олимпийского комитета Виталий Смирнов, узнав об этом странном назначении, спросил: «Это тот Гаврилин, который у Грамова на даче колбасу режет?»

Справка

Гаврилин Вячеслав Михайлович — заместитель председателя Госкомспорта СССР. Завербован 1-м отделом 3-го Главного управления КГБ (военная контрразведка) в период его работы в качестве корреспондента газеты «Красная Звезда». Работу с ним вел сотрудник 3-го отделения 11-го отдела Пятого управления КГБ Попов Владимир Константинович.

Смирнов Виталий — вице-президент МОК, глава советского Национального олимпийского комитета. Завербован был в 1978 г. заместителем начальника Пятого управления КГБ генерал-майором Абрамовым Иваном Павловичем.

Умением резать колбасу Гаврилин компенсировал недостаток своей общей культуры и неумение общаться. Деятелей международного спортивного движения, посещавших Москву перед Играми доброй воли 1986 года и в последующие периоды, он шокировал тем, что по дороге из аэропорта доставал из портфеля промасленную газету, из которой извлекал колбасу и начинал ее резать, после чего следовало предложение гостю распить бутылку водки.

Гаврилин и Грамов воровали с упоением. Они стали создавать различные коммерческие структуры, приносящие им огромные барыши, и по праву могут считаться основоположниками коррупции в советском спорте. Кроме этого они оставили после себя память как преследователи ряда выдающихся советских шахматистов.

Еще в бытность свою заместителем заведующего отделом агитации и пропаганды ЦК КПСС, Грамов, будучи убежденным антисемитом, направил острие своей ненависти на одного из выдающихся советских гроссмейстеров — Виктора Корчного. Корчной в силу своего характера и интеллекта являл собой натуру яркую и неординарную и отличался резкостью суждений, в том числе о советской действительности, о состоянии дел в Шахматной федерации СССР и о ее деятелях.

Долгие годы центральный (московский) шахматный клуб возглавлял заместитель председателя Шахматной федерации СССР В. Д. Батуринский.

Справка

Батуринский Виктор Давыдович — директор Центрального шахматного клуба, начальник управления шахмат Госкомспорта СССР. Завербован НКВД СССР в 1947 г. В 1970—1980 гг. оперативную работу с ним осуществляли офицеры Пятого управления КГБ Смазнов Анатолий Сергеевич и Лавров Владимир Алексеевич.

Главой же Шахматной федерации был дважды герой Советского Союза космонавт В. Севастьянов, выполнявший в основном представительские функции. Батуринский возглавил советские шахматы после того, как не одно десятилетие посвятил совсем иной деятельности. Он был сотрудником военной прокуратуры, а затем военным прокурором. В период правления Сталина он был одним из активных проводников и сторонников сталинских репрессий. По этой причине карьера его сложилась удачно — награды, должности и звания следовали своим чередом. Сопутствовало удачной карьере и еще одно обстоятельство — многолетнее негласное сотрудничество Батуринского с органами госбезопасности. Будучи агентом НКВД—МГБ—КГБ, Батуринский регулярно информировал о негативных высказываниях и настроениях сослуживцев из прокуратуры, исподволь устраняя таким образом своих конкурентов по службе.

Оттого и карьера Батуринского была на зависть многих его коллег стремительной и успешной.

Выслужив положенный срок, Батуринский вышел на пенсию. Агентурно-провокаторские таланты Батуринского кураторами госбезопасности забыты не были — его назначили директором московского шахматного клуба. Позаботился Батуринский и о своей дочери Марине, пристроив ее в международное управление Госкомспорта СССР. Вскоре она по наводке своего отца была завербована в качестве агента органов КГБ сотрудником 1-го отделения 1-го отдела Пятого управления КГБ капитаном Владимиром Лавровым. С той поры у Марины Батуринской с выездами за границу в качестве переводчика для сборных команд СССР проблем не было.

Мог ли агент с многолетним стажем Батуринский не замечать острые высказывания Корчного о нем и положении дел в Шахматной федерации? Конечно же, нет. И в интерпретации опытного провокатора Батуринского в 1-е отделение 1-го отдела Пятого управления КГБ к офицеру Смазнову поступали агентурные сообщения о негативном отношении к советской действительности гроссмейстера Корчного. Одновременно с этим по официальной линии от имени Шахматной федерации СССР регулярно в Госкомспорт СССР и отдел пропаганды ЦК КПСС поступала аналогичная информация.

На основании сообщений Батуринского органами госбезопасности в отношении Корчного было заведено «Дело оперативной проверки» (на лексиконе оперсостава — ДОП) по фактам «антисоветской агитации и пропаганды». Подобные дела велись сроком до шести месяцев, целью их было получение достоверных данных об антисоветской настроенности проверяемого (по терминологии, принятой в КГБ, — объекта дела). При получении данных, подтверждающих антисоветские высказывания «объекта дела», на него заводилось уже «Дело оперативной разработки» (ДОР), в ходе ведения которого собирался фактический материал о противоправной деятельности «объекта» с его последующей документацией для возбуждения затем уголовного дела, ведения предварительного следствия и передачи дела в судебные инстанции.

Следует отметить, что в среде советских гроссмейстеров было немалое число агентов госбезопасности. Тигран Петросян, Лев Полугаевский, Балашов, Ваганян, Гуфельд и начальник управления шахмат Госкомспорта СССР Крогиус имели большой опыт сотрудничества с КГБ в качестве негласных агентов. Не отставал от них многолетний главный редактор журнала «64» Александр Рошаль.

Справка

Петросян Тигран Вартанович — чемпион мира по шахматам. Завербован в 1973 г. офицером 1-го отдела Пятого управления КГБ Смазновым Анатолием Сергеевичем.

Полугаевский Лев Абрамович — завербован в 1980 г. заместителем начальника 11-го отдела Пятого управления КГБ подполковником Перфильевым Игорем Валентиновичем.

Балашов Юрий Сергеевич — завербован в 1981 г. заместителем начальника 3-го отделения 11-го отдела Пятого управления КГБ подполковником Давнисом Эрнстом Леонардовичем.

Ваганян Рафаль Артемович — завербован в 1983 г. 5-м отделом КГБ Армянской ССР. Использовался для работы среди советских гроссмейстеров, в том числе и при их выездах за рубеж.

Гуфельд Эдуард Ефимович — завербован в 1981 г. Перфильевым Игорем Валентиновичем.

Крогиус Николай Владимирович — начальник управления шахмат Госкомспорта СССР с1980 г. по 1990 г. Завербован в 1980 г. заместителем начальника 11-го отдела Пятого управления КГБ подполковником Перфильевым Игорем Валентиновичем. Агентурный псевдоним Эндшпиль.

Рошаль Александр Борисович — главный редактор шахматного журнала «64». Завербован в 1978 г. заместителем начальника 3-го отделения 11-го отдела Пятого управления КГБ подполковником Давнисом Эрнстом Леонардовичем.

Все они были задействованы в разработке Корчного и его окружения. Те, кто был к Корчному близок, испытали на себе мощь советской репрессивной машины. В их числе оказался сын Корчного Игорь, по надуманному обвинению брошенный в тюрьму. Вероятный помощник Корчного гроссмейстер Борис Гулько, многие годы добивавшийся права на выезд из СССР, на протяжении многих лет, до момента выезда на Запад, терпел вместе со своей семьей притеснения и лишения.

В отношении Корчного на государственном уровне велась настоящая травля, и у него не оставалось иного выбора как навсегда покинуть Советский Союз. Советская государственная машина сделала ставку на восходящую звезду на шахматном небосклоне Анатолия Карпова, послушного и управляемого. Эмоциональный нонконформист и еврей Корчной советской системе был не нужен. В 1976 году, находясь в Швейцарии на международном шахматном турнире, Корчной попросил политического убежища, которое вскоре и получил. Оставляя страну, где он родился и вырос, спортивную славу которой он преумножал, Корчной, чья семья продолжала жить в СССР, не предполагал, как много испытаний и борьбы с советской системой ему еще предстоит выдержать.

В начале 1970-х годов в рядах сотрудников Пятого управления КГБ появился среднего роста и приятной наружности молодой человек — Владимир Пищенко. Пройдет всего лишь несколько лет, и имя его обойдет страницы газет многих стран мира. Начало же службы у него было таким же, как и у большинства его коллег, достаточно рутинным. Службу он начинал в 3-м отделе Пятого управления КГБ, курировавшем Московский государственный университет им. Ломоносова и Университет дружбы народов им. Патриса Лумумбы. Задачей офицеров госбезопасности, кураторов указанных вузов, было выявление агентуры спецслужб иностранных государств, прибывших на учебу в качестве студентов и аспирантов и вербовка из числа иностранных студентов агентуры для КГБ с последующим их использованием в зарубежных странах. В целях изучения иностранных студентов и аспирантов осуществлялась интенсивная вербовка преподавателей и студентов из числа советских граждан.

Выпускник экономического факультета МГУ Пищенко стал куратором одного из факультетов своей alma mater и оказался в знакомой для него среде. Но появлению в родном вузе в ином качестве — офицера госбезопасности — сопутствовала иная часть его жизни.

После окончания средней школы Пищенко был призван в Советскую Армию. Служил водителем грузовика. По возвращении со срочной службы пару лет проработал водителем автобазы «Интурист». Профессиональными водителями были и его родители. Видя их жизнь, он понимал, что единственный путь к достойной жизни в СССР — это получение высшего образования. Пищенко в МГУ женился на девушке Людмиле. Людмила, как и ее мать, работала в центральном аппарате КГБ в качестве секретаря одного из отделов Второго Главного управления. Не без помощи родственников жены Пищенко уже в период обучения на старших курсах был отправлен для стажировки на Кубу, где в течение полугода смог совершенствовать знание испанского языка. По окончании МГУ вновь с помощью родственников жены он был зачислен на службу в КГБ и был направлен на двухгодичные курсы с углубленным изучением иностранного языка. Вторым его языком был английский. Закончив курсы, Пищенко стал офицером Пятого управления КГБ.

В 1977 году в Советский Союз для стажировки прибыла группа офицеров органов государственной безопасности Республики Куба, занимавшихся у себя на родине сферой деятельности, схожей с вопросами, которые решало Пятое управление КГБ. Для работы с этой делегацией в качестве переводчика был выделен сотрудник 3-го отдела Пятого управления КГБ старший лейтенант Пищенко. По окончании стажировки кубинских офицеров для них была организована туристическая поездка на комфортабельном корабле по Волге. Сопровождали их в поездке сотрудники Пятого управления КГБ Пищенко и начальник 1-го отдела этого управления полковник Владимир Струнин, имевший среди коллег прозвище Пьяный Ежик. Он всегда был коротко подстрижен, а его маленький нос и щеки были украшены характерными прожилками, не оставлявшими сомнений в его пристрастии к алкоголю. Следует отметить, что ни характерные признаки, изобличающие его как пьяницу, ни позорное прозвище не помешали ему благодаря покровительству генерала Абрамова (он же Ваня Палкин) дослужиться до генерала, абсолютно, впрочем, спившегося и деградировавшего. Пройдут годы, и его судьбу, правда, без звания генерала повторит Пищенко, сблизившийся со Струниным во время совместной поездки по Волге на почве неумеренного потребления алкоголя.

В 1978 году на Филиппинах в Багио должен был состояться матч на звание чемпиона мира по шахматам между советским гроссмейстером Анатолием Карповым и «невозвращенцем» и «изменником Родины» (по терминологии, принятой в СССР) Виктором Корчным. Карпов еще в юном возрасте, когда жил в Ленинграде, был завербован КГБ как агент под псевдонимом Рауль. Не доверяя в полной мере информации о шахматах, поступавшей от подчиненных из Пятого управления, Андропов систематически приглашал к себе для бесед самого Карпова с тем, чтобы в полной мере быть осведомленным о его проблемах и пожеланиях, поскольку к Карпову благосклонно относился генеральный секретарь ЦК КПСС Леонид Брежнев. Результатом этих встреч стали указания начальнику Пятого управления КГБ генерал-лейтенанту Филиппу Бобкову о том, что чемпионом мира по шахматам должен обязательно стать Карпов.

Еще Брежнев интересовался хоккеем. И Андропов собирал для Брежнева спортивную информацию о ведущих игроках, их спортивных достижениях и личной жизни. Делалось это через референтов Андропова, которых, как Карпова, систематически приглашали в приемную председателя КГБ. Но с ними встречался чаще не сам Андропов, а куратор сборной СССР по хоккею заместитель начальника 3-го отделения 11-го отдела Пятого управления КГБ подполковник Эрнст Давнис. Если, например, Брежнева интересовал биатлон, Андропов вызывал к себе для беседы референта Валерия Гончарова, офицера КГБ и чемпиона мира по биатлону.

Не обходилось без курьезов. Однажды Андропов решил для получения более полной информации побеседовать непосредственно с главным тренером сборной команды СССР по хоккею Виктором Тихоновым. Получив указание из аппарата председателя КГБ, Давнис вызвал Тихонова и сообщил тому, что с ним хочет встретиться Андропов. Тихонов со страху занемог. С ним случился приступ «медвежьей болезни». В течение нескольких дней он не мог покинуть квартиру из-за жесточайшего расстройства желудка. Пришлось Дависну, помимо организации встречи Андропова с Тихоновым, срочно сдавать анализы Тихонова для выяснения, не болен ли тот каким-либо инфекционным заболеванием, могущим быть опасным для руководителя КГБ.

С виду тихий, говорящий немужественным фальцетом, Карпов, встречавшийся с Андроповым неоднократно, нервных срывов при этом не испытывал. После первой их встречи Андропов, получивший от генсека Брежнева указание любыми средствами не допустить победы «изменника Корчного», дал команду создать опергруппу КГБ для командирования ее в 1978 году на матч претендентов. В качестве офицера, отвечавшего за безопасность Карпова и одновременно могущего выполнять функции личного водителя, переводчика и секретаря, нужно было подобрать подходящего сотрудника Пятого управления КГБ.

Во время поиска нужной кандидатуры Струнин (он же Пьяный Ежик) напомнил генералу Абрамову (он же Ваня Палкин), что в управлении есть офицер, бывший профессиональный водитель, владеющий испанским и английским языками, хорошо себя зарекомендовавший во время сопровождения группы офицеров кубинских спецслужб, — Пищенко. Более подходящей кандидатуры не нашлось, и вопрос относительно Пищенко был решен положительно. Это почти на десятилетний срок определило судьбу Пищенко, ставшего буквально тенью Анатолия Карпова. Пищенко решал не только вопросы, относящиеся к его компетенции как сотрудника КГБ, но и личные и бытовые проблемы будущего чемпиона мира по шахматам.

В сформированную по указанию Андропова оперативную группу из числа офицеров КГБ кроме Пищенко вошли сотрудники Первого Главного управления (ПГУ, внешняя разведка) КГБ, выполняющие разведывательные функции под прикрытием советского посольства на Филиппинах в Маниле, торгового представительства СССР в этой стране и сотрудники КГБ, действовавшие под журналистским прикрытием. Кроме того, в состав

оперативной группы были включены офицеры оперативно-технического управления (ОТУ) КГБ, впервые
выезжавшие за границу для выполнения своих функций
в составе советской спортивной делегации. Всего опергруппа КГБ, которой предстоял выезд в числе членов команды претендента на звание чемпиона мира по шахматам Карпова, насчитывала 12 человек.

В соответствии с планом, утвержденным заместителем Председателя КГБ В. М. Чебриковым, Пищенко
было поручено постоянное сопровождение Карпова и
его физическая охрана, а также установление оперативных контактов с руководителями международной Шахматной федерации и изучение их в плане возможного
привлечения к сотрудничеству с органами госбезопасности Советского Союза.

Согласно общему плану, сотрудники советской разведки должны были использовать чемпионат по шахматам, привлекающий внимание мировой общественности,
для развития уже имеющихся оперативных контактов
среди иностранных граждан, равно как и вербовки новой агентуры, представляющей интерес для советской
разведки. На Управление «А» ПГУ КГБ возлагалась задача позитивного освещения матча в зарубежных СМИ
через имеющуюся советскую агентуру и оперативные
контакты советской разведки из числа зарубежных
журналистов. Кроме Управления «А» в работу были вовлечены Управление «П» (политическая разведка) ПГУ
КГБ и Управление «К» (внешняя контрразведка), задачей которого являлось проникновение в спецслужбы
иностранных государств и полицейские подразделения
посредством вербовки их представителей в качестве
агентов ПГУ. Для обеспечения устойчивой связи оперативной группы с Москвой были задействованы возможности резидентуры советской разведки в Маниле (поскольку матч планировалось проводить на Филиппинах).

На членов опергруппы из числа офицеров — сотрудников оперативно-технического управления — возлагались задачи по ежедневному контролю за состояни-
ем здоровья Карпова путем регулярной проверки его
испражнений и контроля за его питанием. В их задачу
также входило обеспечение безопасности помещений,

занимаемых Карповым и членами оперргруппы, и защита помещений и телефонов от возможных попыток прослушивания иностранными спецслужбами или частными лицами.

3-м отделением 11-го отдела Пятого управления КГБ велась разработка советского гроссмейстера Бориса Гулько, 1947 года рождения. Вина Гулько и его жены, известной советской шахматистки Анны Ахшарумовой, заключалась в стремлении выехать на постоянное жительство за границу, где бы они могли обрести свободу и получать достойное денежное вознаграждение за участие в международных шахматных турнирах. Как и все советские спортсмены, гроссмейстеры-шахматисты получали лишь незначительную часть причитающихся им выплат, а остальное поступало в казну государства и чиновникам от спорта. Фактический глава Советской шахматной федерации Батуринский информировал отдел пропаганды и агитации ЦК КПСС (Грамова) и КГБ о том, что в случае выезда Гулько на постоянное жительство за границу он, являясь сильным и достаточно молодым гроссмейстером, сможет оказать помощь «отщепенцу» Корчному в его борьбе за звание чемпиона мира с Карповым. Для Гулько это оказалось приговором.

В отношении Гулько осуществлялся целый комплекс оперативных и оперативно-технических мероприятий. Несмотря на видимое могущество КГБ, возможности этой огромной организации были далеко не безграничны. Оперативным подразделениям всегда нелегко было получить так называемую «точку» для осуществления слухового контроля телефонных переговоров, что называлось мероприятием «С» или «Т» (слуховой контроль помещения). Проводил указанные мероприятия по заданиям оперативных подразделений 12-й отдел КГБ, главное здание которого располагалось в Варсановьевском переулке, напротив здания центральной поликлиники КГБ. В его названии присутствовало очевидное лукавство, так как по числу сотрудников отдел превосходил некоторые оперативные управления, например Пятое. И хотя число сотрудников 12-го отдела было велико и труд их был напряженным, возможности этого подразделения всегда отставали от потребностей оперативных подразделений. Это только на слуху было поверье у советских граждан, что слушает КГБ чуть ли не каждого из них. Слушал бы, да вот возможностей не хватало.

Подобным же образом обстояло дело с осуществлением наружного наблюдения за объектами оперативной заинтересованности. За каждым управлением, осуществлявшим оперативную деятельность, был закреплен соответствующий отдел Седьмого управления КГБ, сотрудники которого по заданиям оперативных управлений осуществляли мероприятие «НН» (в чекистском обиходе «наружное наблюдение», или «наружка»). За Пятым управлением КГБ был закреплен 3-й отдел Седьмого управления, специализирующийся на ведении слежки за диссидентами. Следуя указаниям, поступающим из отдела пропаганды ЦК КПСС, инициируемых Грамовым, КГБ через 3-е отделение 11-го отдела Пятого управления КГБ навалился на потенциального помощника «изменника» Корчного гроссмейстера Гулько. В его разработке были задействованы все средства, имевшиеся в оперативных подразделениях советской госбезопасности.

Выполняя указания Генерального секретаря ЦК КПСС Брежнева, Председатель КГБ Андропов, его заместитель генерал-лейтенант Чебриков, начальник Пятого управления генерал-лейтенант Бобков и заместитель начальника Пятого управления генерал-майор Абрамов приступили к руководству операцией по обеспечению победы в борьбе за звание чемпиона мира по шахматам Анатолия Карпова.

Шахматистами от госбезопасности рангом много ниже являлись начальник 11-го отдела Пятого управления КГБ полковник Борис Шведов, бывший ставленником генерала Абрамова, заместитель начальника 11-го отдела полковник Павел Зимин, начальник 3-го отделения 11-го отдела полковник Борис Тарасов и его заместитель подполковник Эрнст Давнис. Непосредственно шахматы курировал старший оперуполномоченный 3-го отделения майор Владимир Лавров, известный в спортивных кругах того времени под кличкой Гаденыш.

Куратор шахмат Лавров уже в середине 1970-х годов получил от своего коллеги по КГБ Вячеслава Иванникова, проходившего службу в 3-м отделе Второго Главного управления КГБ и осуществлявшего разработку посольства Франции в Москве, информацию о том, что их подразделением зафиксированы устойчивые контакты советского гроссмейстера Бориса Спасского с сотрудницей французского посольства. Его приятельница-француженка была внучкой генерала царской армии, бежавшего из России после революции 1917 года во Францию. Живя в эмиграции, генерал принимал участие в деятельности зарубежных антисоветских организаций и был активным членом французского отделения Народного Трудового Союза (НТС), который вел непримиримую борьбу с коммунистическим режимом в Советском Союзе.

Его внучка, родившаяся во Франции в семье русских эмигрантов, с любовью познавала русский язык и культуру вынужденно оставленной родины предков, все больше проникаясь ненавистью к коммунистическому режиму, воцарившемуся на территории бывшей Российской Империи. Получив прекрасное образование в Сорбонне, она не оставила дело своего деда, принимая деятельное участие в работе французского отделения НТС, что не могло не привлечь к ней внимания со стороны спецслужб СССР. Комитет государственной безопасности письменно (за подписью Андропова) информировал ЦК о недостойном поведении советского гроссмейстера Бориса Спасского, выражавшегося в его устойчивых контактах с сотрудницей посольства Франции в Москве. По указанию руководства КГБ Пятым и Вторым Главным управлениями был составлен план по оказанию позитивного влияния на советского гроссмейстера Спасского и разоблачению антисоветской деятельности его французской подруги с последующей ее компрометацией посредством публикаций в советской и зарубежной прессе.

В соответствии с данным планом через агентуру Пятого управления КГБ из числа советских гроссмейстеров (среди которых были широко известные в мире шахматисты Тигран Петросян, Олег Романишин и Лев Полугаевский) и функционеров от шахмат — директора Центрального шахматного клуба Батуринского и главного редактора журнала «64» Александра Рошаля — оказывалось психологическое давление на Бориса Спасского, чтобы заставить его отказаться от контактов с француженкой.

По согласованию с Пятым управлением Вторым Главным управлением была разработана операция, утвержденная руководством КГБ, по заражению подруги Спасского венерическим заболеванием. Планировалось, что сотрудниками 3-го отдела Второго Главного управления КГБ будет осуществлено скрытное проникновение в жилой корпус, в котором проживали сотрудники французского посольства, в квартиру, занимаемую подругой Спасского, для заражения нижнего белья француженки. Сотрудниками госбезопасности в одном из кожно-венерических диспансеров Москвы были получены лобковые вши, которыми было заражено нижнее белье подруги Спасского.

Операция представляла собой достаточно сложное мероприятие, так как условия конспирации требовали точного установления режима дня не только подруги Спасского, но и ее соседей по дому. В день проведения мероприятия все они находились под строгим контролем наружного наблюдения с целью недопущения неожиданного появления кого-либо из них по месту их проживания, что привело бы к провалу.

Непосредственный исполнитель операции майор Иванкин во время ее осуществления сильно нервничал. Волнение его было вызвано не столько фактом скрытного проникновения в жилое помещение, в котором проживала иностранная гражданка, сколько боязнью заразиться гнусными существами. Случись заражение у майора госбезопасности Иванкина, вряд ли бы его супруга поверила, что муж приобрел его, исполняя служебный долг перед родиной.

Иванкин не заразился. Но, к неудовольствию его начальников и коллег из Пятого управления КГБ, не заразилась и подруга Спасского. То ли вши были некачественные, то ли Иванкин куда-то не туда их засыпал, то ли француженка, что-то заподозрив, перестирала белье.

Факт был неутешительным — план, утвержденный руководством КГБ, не был реализован. Пришлось участникам операции по заражению все начинать сначала. Последовало очередное обращение в кожно-венерический диспансер, где теперь уже были приобретены споры серьезного венерического заболевания — гонореи.

Вооружившись ими, чекисты ринулись в очередную атаку на любящую друг друга пару. И снова трясущимися руками контрразведчик Иванкин вытряхивал содержимое небольших стеклянных баночек на нижнее белье француженки, вновь он был вынужден подвергать угрозе заражения венерической болезнью себя и свою жену.

Руководство по достоинству оценило смелость Иванкина. За проявленное мужество при исполнении боевого задания майор Иванкин был награжден почетной грамотой КГБ, подписанной председателем КГБ Андроповым. В грамоте говорилось: «За выполнение особого задания».

Подруга Спасского уехала из Москвы в Париж. Правда, вскоре за нею последовал сам Спасский, женившийся на своей возлюбленный и оставшийся жить во Франции. В Советский Союз Спасский больше не возвращался.

Потерпев поражение в борьбе с гроссмейстером Спасским, шахматисты из КГБ решили взять реванш в борьбе с Корчным. Имея достаточно большой опыт борьбы с советской системой и располагая информацией о проблемах Бориса Спасского до момента его выезда из СССР, Корчной выбрал единственно возможный и правильный, хотя и нелегкий для него и его близких путь. Он бежал во время очередной зарубежной поездки.

После бегства Корчного в СССР поднялась волна выступлений в средствах массовой информации, бичующих «отщепенца». Инициировалась эта кампания советской госбезопасностью.

Выезд Спасского и бегство Корчного были не единственным поражением КГБ на спортивной арене в 1976 году. Много волнений принесла КГБ летняя Олимпиада 1976 года в Монреале. По установленному правилу в составе советской спортивной делегации и в туристических группах специалистов в области спорта и журналистов выезжали офицеры госбезопасности СССР под соответствующим прикрытием. Вместе они составляли оперативную группу КГБ. Руководство подобной структурой на летней Олимпиаде было поручено тогда еще заместителю начальника Пятого управления КГБ генерал-майору Абрамову. Опергруппа КГБ, возглавляемая Абрамовым, состояла из тринадцати человек. Ей оказывали помощь сотрудники резидентуры советской разведки, действовавшие под прикрытием генерального консульства СССР в Монреале.

Абрамов (выехавший в Канаду под фамилией Заломова, активного участника революционного движения в России, прообраза героя известного романа Максима Горького «Мать») и его заместитель по группе Владимир Лавров (он же Гаденыш) установили в советской делегации атмосферу осажденного врагами лагеря. Очередной их жертвой оказался 18-летний прыгун в воду Сергей Немцанов, вина которого заключалась в двух письмах, полученных им от американской прыгуньи в воду, члена олимпийской сборной США. Во время пребывания на Олимпиаде в Монреале они несколько раз встречались и вместе проводили время.

Для бдительных гебистов этого было достаточно. В спешном порядке под надуманным предлогом Немцанова решено было досрочно вернуть в Советский Союз, не дав ему закончить выступления на Олимпиаде. В ответ Немцанов принял решение бежать. Он покинул олимпийскую деревню, в которой проживали участники соревнований, и несколько месяцев скрывался на одном из многочисленных островов устья реки Святого Лаврентия. Укрывали его друзья — спортсмены Канады.

Советские средства массовой информации развернули мощную пропагандистскую кампанию, обвиняя западные страны в идеологической войне против Советского Союза и в склонении советских спортсменов к бегству из СССР. Одновременно КГБ оказал давление на родителей и друзей Немцанова, которые через прессу обращались к нему с призывом вернуться на родину. Немцанов вернулся и до развала СССР никогда уже не участвовал в международных соревнованиях.

В течение ряда лет со стороны советских спортивных функционеров испытывала на себе давление выдающаяся пара советских фигуристов Людмила Белоусова и Олег Протопопов. Инициаторами кампании травли в отношении них также выступал КГБ, которому не нравилась независимость Белоусовой и Протопопова, их широкие контакты с иностранными спортсменами и представителями зарубежных спортивных кругов и СМИ.

Гаденыш (Лавров) не уставал строчить справки о негативной настроенности спортсменов к советской действительности, об их преклонении перед западным образом жизни. На основе этих справок готовилась информация в ЦК КПСС, а оттуда следовала команда в Госкомспорт СССР — «давить» спортсменов. Результат не заставил себя ждать. В 1979 году во время гастролей в Швейцарии Белоусова и Протопопов бежали из Советского Союза. Когда в 1988 году на Олимпиаде в Калгари знаменитый дуэт пригласили принять участие в показательных выступлениях вместе с другими чемпионами и призерами прошлых олимпиад, председатель Госкомспорта СССР Грамов заявил канадским организаторам олимпиады, что если Белоусова и Протопопов выйдут на лед, советская делегация пробойкотирует церемонию закрытия олимпийских игр. Белоусова и Протопопов на лед не вышли. В 1996 году они получили швейцарское гражданство. В Россию они не возвращались даже после распада СССР.

В 1972 году 17-летняя советская гимнастка Ольга Корбут на летних Олимпийских играх в Мюнхене покорила сердца миллионов людей разных стран мира, став олимпийской чемпионкой и получив три золотые и одну серебряную медали. Корбут олицетворяла молодость, красоту и гармонию. Именно этими ее качествами были покорены миллионы жителей нашей планеты. Ее имя на долгие годы стало синонимом торжества человеческого духа и красоты.

В течение ряда лет после триумфа Корбут на мюнхенской Олимпиаде авторитетные международные организации и телерадиокорпорации называли ее лучшей спортсменкой прошлых лет. В 1975 году ЮНЕСКО назвала Корбут женщиной года.

В 1976 году на Олимпийских играх в Монреале Корбут в очередной раз стала олимпийской чемпионкой и помимо золотой медали получила «серебро». Спустя год она оставила выступления на гимнастическом помосте. Было ей всего лишь 22 года. Она могла еще долго радовать любителей спорта во всем мире своим великолепным мастерством. Но были причины, вынудившие ее оставить большой спорт. Причины настолько серьезные, что даже по прошествии многих лет, живя в эмиграции в США, она не рискнет о них заговорить.

Корбут приобрела огромную популярность во всем мире. В разных странах стали открываться многочисленные спортивные клубы, названные в ее честь. Наиболее популярна она была в Соединенных Штатах, где установился буквально культ Ольги Корбут, а число ее поклонников исчислялось миллионами.

Популярность Корбут в мире, особенно в США, крайне насторожила КГБ, прежде всего куратора управления гимнастики капитана Лаврова. Из КГБ от Лаврова и тогда еще майора КГБ Анатолия Смазнова в ЦК КПСС на Ольгу Корбут стала поступать негативная информация. В связи с этим по решению ЦК КПСС Ольга Корбут была взята под бдительный контроль 5-м отделом КГБ Белорусской ССР (Корбут жила в Белоруссии). В отношении нее было заведено дело оперативной проверки, которое вопреки ведомственным инструкциям велось не один год. Постоянный тренер Корбут Кныш был завербован в качестве агента органов госбезопасности и регулярно информировал своих кураторов из 5-го отдела КГБ Белорусской ССР буквально о каждом шаге своей подопечной, умалчивая при этом о своем жестоком обращении со своей воспитанницей и о регулярных ее изнасилованиях. По существу он превратил ее в свою сексуальную рабыню. Кныш был завербован по инициативе офицера 3-го отделения 11-го отдела Пятого управления КГБ Владимира Лаврова.

Пользуясь поддержкой со стороны госбезопасности и партийных инстанций, Кныш делал все, чтобы полностью подчинить себе молодую талантливую спортсменку.Телефонные переговоры Корбут постоянно прослушивались, так же как и квартиры, в которых она проживала. Месяцами она находилась под наружным наблюдением. Все ее знакомые и друзья также оказывались в поле зрения органов госбезопасности. В отношении близкого друга Ольги Корбут, члена популярного в те годы музыкального коллектива «Песняры» Леонида Борткевича, впоследствии ставшего ее мужем, 5-м отделом КГБ Белорусской ССР проводился целый комплекс агентурно-оперативных мероприятий. С самой Корбут регулярно проводились воспитательные беседы руководящими сотрудниками Спорткомитета Белоруссии и отдела агитации и пропаганды ЦК КПСС республики.

В течение ряда лет выдающаяся спортсменка под различными предлогами отводилась от поездок за границу и долгие годы, до момента выезда в США на постоянное место жительства, ощущала на себе гнет со стороны советской партийно-кагебистской машины.

Практика агентурной вербовки тренеров, спортсменов и функционеров от спорта применялась КГБ достаточно широко, особенно в период подготовки к Московской олимпиаде 1980 года. 11-й отдел Пятого управления КГБ, насчитывавший чуть более 30 человек, был перед олимпиадой увеличен до 350 офицеров, прикомандированных из других подразделений КГБ. В большинстве своем они осуществляли вербовку агентуры и работу с ней. Только офицерами 11-го отдела Пятого управления было завербовано более 300 агентов. Спортсмены были легко уязвимы, так как относились к категории людей, которым было необходимо выезжать за границу для участия в соревнованиях. Треперы — потому что хотели ездить за границу со своими подопечными. Бюрократы — потому что просто хотели ездить за границу. Любая командировка за границу в советские времена сулила определенные материальные блага. Особенно это относилось к спортивному сектору. Помимо так называемых суточных (необходимых денежных средств, выдаваемых за каждый день пребывания за границей) спортсменам полагалась экипировка. Под экипировкой понималось выделение бесплатно членам сборных команд СССР спортивной одежды и необходимого инвентаря и предметов гардероба: костюмов, пальто, шуб (в зависимости от сезона), головных уборов и обуви. Поэтому наиболее предпочтительным для выезда за границу был выезд на зимние Олимпиады. Стоимость такой экипировки была соизмерима со стоимостью престижной советской автомашины «жигули». И все это спортсмены получали бесплатно. Вопрос о разрешении или отказе в выезде зависел только от КГБ. Понятно, что завербовать спортсмена было намного проще, чем любого другого советского человека, не ездившего за границу и ничего не теряющего при отказе сотрудничать.

Полный список завербованных КГБ известных спортсменов, тренеров и спортивных функционеров составил бы несколько сот человек. В частности, с КГБ сотрудничали тренер женской сборной команды СССР по теннису Тарпищев, тренер сборной команды СССР по боксу Копцев, вице-президент Международной федерации бокса Гордиенко, начальник управления зимних видов спорта Панов и другие.

Справка

Тарпищев Шамиль Аверьянович — старший тренер женской сборной СССР по теннису. Завербован в 1980 г. офицером 3-го отделения 11-го отдела Пятого управления Демидовой Альбиной Гавриловной.

Копцев Константин Николаевич — государственный тренер сборной команды СССР по боксу. Завербован в 1987 г. Топорыни Владимиром Измайловичем.

Гордиенко Владимир Данилович — вице-президент международной федерации бокса (АИБА). Завербован в 1979 г. офицером 3-го отделения 11-го отдела Пятого управления КГБ Поповым Владимиром Константиновичем. Псевдоним Даня. Использовался в качестве резидента для работы среди советских боксеров и членов АИБА.

Панов Герман Михайлович — начальник управления зимних видов спорта Госкомспорта СССР, член совета Международного союза конькобежцев. Завербован в 1979 г. офицером 3-го отделения 11-го отдела Пятого управления КГБ Волковым Федором Михайловичем. Псевдоним Юля.

Пархоменко — начальник управления спортивных единоборств. Завербован в 1982 г. офицером 3-го отделения Пятого управления КГБ Торопыни Владимиром Измайловичем.

Маматов Виктор Федорович — заместитель председателя Госкомспорта СССР. Завербован в 1972 г. УКГБ по Новосибирской области. Псевдоним Диоптр. Работу с ним вел офицер 3-го отделения 11-го отдела Пятого управления КГБ Попов Владимир Константинович.

Горохова Галина Евгеньевна — член исполкома НОК России, председатель Российского союза спортсменов. Завербована в 1980 г. офицером 3-го отделения 11-го отдела Пятого управления КГБ Кулешовым Владимиром Георгиевичем.

Хоточкин Виктор Алексеевич — первый заместитель президента НОК России. Завербован в 1977 г. сотрудником Пятого управления КГБ Лавровым Владимиром Алексеевичем.

Шарандин Юрий Афанасьевич — в середине 1980-х гг. — начальник протокольного отдела Госкомспорта СССР, бывший сотрудник Управления пропаганды Госкомспорта СССР. Завербован в 1979 г. офицером 3-го отделения 11-го отдела Пятого управления КГБ Поповым Владимиром Константиновичем. В дальнейшем использовался как резидент КГБ для руководства агентурой из числа переводчиков, обслуживавших спортделегации. В настоящее время председатель Комитета по законодательству Совета Федерации России.

Сысоев Валерий Сергеевич — заместитель председателя, затем председатель Центрального совета «Динамо», заместитель председателя Госкомспорта СССР. Завербован в 1979 г. начальником Пятого управления КГБ Бобковым Филиппом Денисовичем.

Колосков Вячеслав Иванович — начальник Управления футбола и хоккея Госкомспорта СССР, вице-президент ФИФА. Завербован в 1978 г. заместителем начальника 3-го отделения 11-го отдела Пятого управления КГБ Давнисом Эрнстом Леонардовичем.

Стеблин Александр Яковлевич — председатель Федерации хоккея с шайбой России. Завербован в 1977 г. УКГБ по городу Москве и Московской области. Псевдоним Москвич.

Марков Геннадий Васильевич — начальник Управления медико-биологического обеспечения сборных команд СССР. Завербован в 1978 г. офицером 3-го отделения 11-го отдела Пятого управления КГБ Поповым Владимиром Константиновичем. Псевдоним Генин.

Показательна история бывшего в 1980 году старшим тренером по академической гребле сборной команды СССР Леонида Драчевского. Завербован он был в 1979 году офицером, прикомандированным к 3-му отделению 11-го отдела Пятого управления КГБ Валентином Петровичем Нефедовым. Драчевский сумел установить хорошие отношения с заместителем начальника 11-го отдела Пятого управления КГБ подполковником Игорем Перфильевым во время их совместной командировки в 1979 году на Универсиаду в Мексику. Это послужило началом

его беспрецедентного карьерного роста. В 1986 году Драчевский стал заместителем председателя Госкомспорта
РСФСР. В 1991 году он уже первый заместитель председателя Госкомспорта СССР. С 1992 года — на дипломатической работе (консул в олимпийской Барселоне).
В последующем Драчевский — начальник департамента
МИД России, в 1996—98 гг. — посол России в Польше,
затем замминистра иностранных дел России. С 2000 по
2004 года — полномочный представитель президента
России в Сибирском федеральном округе (его сменил
затем генерал Квашнин).

Нахождение в агентурном аппарате КГБ не всегда спасало спортсменов от неприятностей, если они
становились жертвами крупной политической игры в
спорте. Так, КГБ начал травлю и преследование основателя советского каратэ Алексея Штурмина, вина которого заключалась в яркости его натуры и огромном
организационном таланте. За короткий срок Штурмин
и его сподвижник Тадеуш Касьянов создали широкую сеть школ каратэ в Москве и на территории всей
страны. Этим видом восточных единоборств стали заниматься и сотрудники спецслужб Советского Союза.
В спортивном обществе «Динамо», где совершенство-
вали мастерство рукопашного боя офицеры КГБ и МВД
СССР, вели занятия ученики Штурмина. Штурмин
проводил огромную пропагандистскую работу по по-
пуляризации нового вида спорта, выступая с воспитан-
никами своих школ перед сотрудниками спецслужб и
общественностью.

Однако ни его деятельность и широкая известность в
стране и за рубежом, ни занимаемая им почетная должность культурного атташе при посольстве Голландии в
Москве, ни даже то, что Штурмин состоял в агентурном
аппарате Второго Главного управления КГБ, не спасли
его от системы, на которую он согласился работать, от
КГБ. В начале 80-х годов Штурмин был арестован Пятым
управлением КГБ по обвинению в распространении
порнографии. В действительности имела место запись
Штурминым на видеомагнитофон сцен сексуального характера с его приятельницами, с их согласия и «для личного пользования».

При обыске в квартире Штурмина оперативными работниками 13-го отдела Пятого управления КГБ старшими оперуполномоченными майорами Николаем Царегородцевым и Олегом Никуличем была изъята коллекция редких вин, которую долгие годы собирал Штурмин. Так как данная коллекция не являлась вещественным доказательством по уголовному делу, которое было возбуждено в отношении Штурмина, он, естественно, стал требовать ее возвращения. Проблема заключалась в том, что на момент обращения Штурмина с требованием возвращения коллекции возвращать уже было нечего. Царегородцев и Никуличев все уже давно выпили (они отчитались сфабрикованным актом об уничтожении вин). В начале 1990-х годов Николай Царегородцев, находясь в Крыму на отдыхе в отеле, принадлежавшем его бывшему коллеге по Пятому управлению КГБ, скончался от острой сердечной недостаточности (сказалась пагубное пристрастие к спиртному). Доставлял тело друга и собутыльника в Москву Олег Никулич, которого тоже вскоре не стало по той же самой причине. Обоим в момент смерти не было и 50 лет.

Устранение Штурмина со спортивной арены явилось началом широкой кампании по уничтожению в СССР каратэ. Внедренным агентом 3-го отделения 11-го отдела Пятого управления КГБ в спортивных кругах был Дмитрий Иванович Иванов. В прошлом он был рекордсмен мира в тяжелой атлетике. Однако Иванов, оставив занятия спортом, стал злоупотреблять спиртным. Однажды во хмелю он сильно намял бока незадачливому обидчику. Итог для Иванова был печален — уголовная статья «хулиганство» и несколько лет в местах лишения свободы. Согласившись стать агентом КГБ, Иванов сумел с помощью КГБ вернуться в Москву в свою квартиру в элитном доме на улице Горького (ныне Тверская), полученную им от государства за выдающиеся заслуги в спорте. Зная, кому он обязан за возможность вернуться к нормальной жизни, Иванов был верным агентом госбезопасности. С помощью КГБ он получил работу спецкора в газете «Советский спорт», где среди прочего по заданию госбезопасности им была написана и опубликована статья «Осторожно, каратэеды», имевшая широкий резонанс в Советском Союзе.

В дополнение к этому КГБ систематически информировал ЦК КПСС о попытках специальных служб противника проникнуть в советские спецслужбы через «чуждый» идеологический вид спорта — каратэ, одним из основных постулатов которого является беспрекословное подчинение сэнсэю (учителю). Итогом кампании КГБ по пресечению развития каратэ в СССР стал Указ Президиума Верховного Совета РСФСР за № 6/24 от 10 ноября 1981 года «Об административной и уголовной ответственности за нарушение правил обучения каратэ». Кроме того, в уголовный и административный кодексы РСФСР были введены статьи, которыми предусматривались уголовная и административная ответственность за незаконное обучение каратэ. А 17 мая 1984 года приказом № 404 Госкомспорта СССР было запрещено заниматься каратэ в спортивных обществах. На многие годы этот увлекательный для миллионов людей вид спорта оказался под запретом.

В 1978 году завербованный Лавровым в агенты под псевдонимом Эльбрус старший тренер сборной СССР по горнолыжному спорту Леонид Тягачев был задержан на таможне в международном аэропорту «Шереметьево-2» при попытке контрабандного ввоза большой партии джинсов, около 200 штук, упакованных в коробки для горнолыжных ботинок.

Справка

Тягачев Леонид Васильевич — глава советского Национального олимпийского комитета. Завербован в 1976 г. офицером 1-го отделения 1-го отдела Пятого управления КГБ Лавровым Владимиром Алексеевичем. Псевдоним Эльбрус.

В отношении Тягачева таможенными органами было возбуждено дело за попытку контрабанды в особо крупных размерах. Джинсы в Советском Союзе продавались только на черном рынке и стоили безумные деньги. Советской промышленностью джинсы не производились.

В соответствии с внутренними правилами КГБ оперативный работник (в данном случае Лавров) в полной мере отвечал за действия своего агента. Однако Лавров, неоднократно получавший бесплатно от своего агента

Тягачева дорогостоящий горнолыжный инвентарь, не забывал делиться подарками со своими начальниками и поэтому не понес наказания за противоправные действия своего агента. Тягачев тоже отделался легким испугом. Он был переведен в Спорткомитет РСФСР и лишен на несколько лет права выезда за рубеж. В настоящее время Тягачев (Эльбрус) занимает высокую должность президента Олимпийского комитета России.

О том, насколько сложна была в иерархическо-бюрократическом плане структура КГБ и насколько серьезно относились там к малейшим отклонениям от буквы уставов и инструкций, говорит случай, произошедший с человеком, участвовавшим в операции по задержанию Тягачева в аэропорту, — еще одним агентом того же 3-го отделения 11-го отдела Пятого управления КГБ Михаилом Монастырским (по кличке Владимиров), являвшимся директором международных альпинистских лагерей Спорткомитета СССР. Вскоре после выполнения задания по задержанию Тягачева Монастырский (Владимиров) по линии Госкомспорта СССР был командирован в США. Как-то раз Монастырский отправился в генконсульство СССР в Нью-Йорке с доносом и, не подумав о последствиях, передал этот донос «чистому» сотруднику генконсульства, т. е. сотруднику, не имевшему отношения к органам советской разведки. Иными словами, Монастырский «засветил» себя как агент КГБ в США.

Началась паника. В тот же день из резидентуры советской разведки, действовавшей под прикрытием генерального консульства СССР в Нью-Йорке, за подписью заместителя резидента в 1-й отдел Первого Главного управления КГБ в Москву была отправлена шифротелеграмма, в которой сообщалось о посещении Монастырским генконсульства и о его беседе с «чистым» сотрудником. Указывалось также, что беседа велась в незащищенном (от прослушивания американскими спецслужбами) помещении, что, по мнению резидентуры, явилось грубым нарушением правил конспирации со стороны агента Владимирова (Монастырского). В связи с этим резидентура требовала более тщательного инструктирования агентуры, выезжающей в США, а самому Монастырскому просила сделать предупреждение.

ПГУ КГБ по получении шифротелеграммы направило ее копию во Второе Главное управление (ВГУ) КГБ, 13-й отдел которого осуществлял командирование за границу оперативных работников контрразведки и агентуры контрразведывательных подразделений. Многие годы 13-м отделом ВГУ КГБ руководил полковник Гук, в прошлом резидент советской разведки в Лондоне. После перехода на сторону англичан советского разведчика Гордиевского, бывшего у Гука заместителем, карьера последнего была навсегда сломана. Закончилась она для Гука в отделе с несчастливым 13-м номером в звании полковника. Останься Гук в Лондоне в качестве резидента советской разведки, — быть бы ему генералом.

ВГУ КГБ переадресовало шифротелеграмму в Пятое управление КГБ, в агентурной сети которого состоял агент Владимиров (Монастырский). Заместитель начальника Пятого управления КГБ генерал-майор Абрамов (Ваня Палкин), получив шифрограмму, дал распоряжение агента Владимирова немедленно исключить из агентурной сети, а оперативного работника, у которого он находится на связи, наказать.

Началась проверка работы агента Владимирова. Было установлено, что он ранее неоднократно выезжал за границу с заданиями, успешно с ними справлялся и замечаний по поездкам не имел, считал, что встречался в генконсульстве с офицером разведки в помещении, оборудованном по всем правилам конспирации. В итоге Монастырского в агентурной сети оставили.

Одним из участников расследования «дела Владимирова» был Валерий Балясников по кличке Баляс. В молодые годы Балясников был футболистом, вторым номером у знаменитого динамовского вратаря Льва Яшина. В силу яркого спортивного таланта Яшина Балясникову в полной мере не удалось проявить себя на вратарском поприще. Став офицером госбезопасности, он неоднократно выезжал в составе сборных команд СССР по различным видам спорта: в 1984 году — на зимнюю Олимпиаду в Сараево с командой саночников, в 1986 году — на летнюю Олимпиаду в Мексику в составе футбольной команды и на другие соревнования.

В феврале 1984 года на зимнюю Олимпиаду в Сараево в составе советской олимпийской команды выезжала оперативная группа офицеров КГБ с задачей по контрразведывательному обеспечению советских спортсменов и предотвращению в отношении них возможных террористических актов. Руководителем оперативной группы был молодой начальник 11-го отдела Пятого управления КГБ подполковник Игорь Перфильев, выдвиженец Бобкова. В группу входил также сотрудник 3-го отделения 11-го отдела Пятого управления КГБ Гаденыш (Лавров).

Лавров постоянно информировал своих руководителей, в том числе генерала Абрамова, о якобы нездоровой обстановке, сложившейся в сборной команде СССР по фигурному катанию. В этих документах с грифом секретности и упоминанием агентуры и доверенных лиц подробно описывались взаимоотношения между тренерами Чайковской, Тарасовой и Дубовой и их отношения со Станиславом Жуком. Последний, имея склонность к злоупотреблению спиртными напитками, нередко становился объектом скандалов. Жук был военнослужащим, представлял Центральный спортивный клуб Армии (ЦСКА) и являлся агентом Третьего управления КГБ. В своих агентурных сообщениях Жук представлял достаточно объективную картину происходящего в сборной СССР по фигурному катанию, что шло в разрез с информацией, исходящей от Лаврова. По этой причине Лавров делал все возможное, чтобы изгнать Жука из сборной СССР, где Жук как тренер имел высокий авторитет благодаря заслугам своих воспитанников, среди которых наиболее яркой звездой была выдающаяся советская фигуристка Ирина Роднина — многократная олимпийская чемпионка, победительница чемпионатов мира и Европы, выигравшая в общей сложности 24 золотые медали.

Пытался собирать Лавров различный компромат и на тренера Чайковскую, муж который после переезда из Киева в Москву долгие годы возглавлял издательство «Физкультура и спорт». Причины, по которым Лавров невзлюбил Чайковскую, заключались в том, что, живя и работая в Киеве, муж Чайковской подружился с сотрудником КГБ Украинской ССР Бояровым и вскоре стал его агентом. Через несколько лет Боярова перевели в Москву, где он стал генералом, заместителем начальника ВГУ КГБ. За Бояровым в Москву потянулся его друг и агент А. Чайковский.

В числе противников Лаврова оказалась также тренер по фигурному катанию Дубова. Муж Дубовой был начальником управления кадров Спорткомитета СССР. Лавров неоднократно грубо пытался вмешиваться в кадровую политику главного спортивного ведомства страны и далеко не всегда находил в этих вопросах взаимопонимание у Дубова. Таким образом, у Лаврова появилась еще одна семья врагов — чета Дубовых. И если с известным тренером Дубовой Лаврову было расправиться сложно, ее супруга Лавров все же из Спорткомитета сумел выжить.

Так как спортсмены-фигуристы и их тренеры во время пребывания за границей на различных международных соревнованиях активно общались со своими зарубежными коллегами и бежавшими из СССР Белоусовой и Протопоповым, у КГБ возникла идея завербовать каких-нибудь фигуристов. Такими агентами стала выдающаяся пара — Наталья Линичук и ее муж Геннадий Карпоносов.

Справка

Линичук Наталья Владимировна — завербована в 1980 г. офицером 3-го отделения 11-го отдела Пятого управления КГБ Лавровым Владимиром Алексеевичем.

Карпоносов Геннадий Михайлович — завербован в 1983 г. офицером 15-го отдела Пятого управления КГБ Капытовым Сергеем Петровичем.

К работе по изучению обстановки в сборной СССР были также подключены «друзья». «Друзьями» в КГБ называли органы госбезопасности социалистических стран, входивших в Варшавский договор. Ответственным за координацию деятельности отделов Пятого управления КГБ и соответствующих подразделений спецслужб социалистических стран — участниц Варшавского договора — был назначен сотрудник 2-го отделения 1-го отдела Пятого управления КГБ старший оперуполномоченный майор Евгений Аужбикович.

Вскоре была образована группа, получившая название «Группа по координации работы с друзьями», просуществовавшая до падения социализма в Европе. Аужбикович стал первым руководителем этой группы (позже его сменил старший оперуполномоченный майор Ларионов). Курировал группу по линии руководства Пятого управления КГБ генерал-майор Абрамов.

Строптивый по характеру Аужбикович, не ладивший с непосредственными начальниками — Струниным и его заместителем Бетеевым (ставшими затем генералами), нашел верный путь к сердцу генерала Абрамова. Он безропотно списывал значительные денежные средства, затрачиваемые Абрамовым по статье 9-й оперативных расходов на угощения и ценные подарки тем, в ком был заинтересован Абрамов. Таким образом, Аужбикович стал для генерала Абрамова верным человеком и получил от него в знак благодарности зарубежную командировку на пару лет, откуда регулярно слал Абрамову подарки на тысячи долларов (что по тем временам было немало). По возвращении из командировки Аужбикович купил себе престижный в СССР автомобиль «Волга» и дачу в ближнем Подмосковье. В один из дней, направляясь на «Волге» на дачу, он погиб вместе с женой в автокатастрофе.

Именно Аужбикович в середине 1970-х годов, выполняя указание генерала Абрамова, подготовил шифротелеграмму в Министерство безопасности ГДР, в отдел XX, генерал-лейтенанту Маркусу с просьбой руководства Пятого управления КГБ усилить агентурные позиции среди членов сборной команды ГДР по фигурному катанию и о проведении совместных агентурно-оперативных мероприятий по изучению членов сборных команд двух стран и иностранных граждан, поддерживающих постоянный контакт с советскими и восточногерманскими спортсменами. Выполняя просьбу советских коллег, восточногерманская госбезопасность («Штази») в срочном порядке пополнила ряды своей агентуры, завербовав в том числе выдающуюся фигуристку ГДР Катарину Витт. Она активно использовалась как агент «Штази» до падения социализма в Восточной Германии и принимала участие в совместных с органами КГБ оперативных мероприятиях по контрразведывательному обеспечению пребывания восточногерманских и советских спортсменов в период проведения Олимпиад по зимним видам спорта в Сараево в 1984 году и в Калгари (Канада) в 1988 году.

Сама Витт тоже была объект пристального внимания со стороны спецслужб ГДР, которые опасались ее возможного бегства в ФРГ, и оказалась объектом разработки XX отдела «Штази». Офицеры, державшие с нею агентурную связь, одновременно вели «глубокую разработку» Витт, осуществляя за ней ежедневную слежку и контролируя ее телефонные переговоры и корреспонденцию. Досье Витт в «Штази» составляло не одну тысячу страниц донесений и многочисленные фото- и видеоматериалы, включающие интимные контакты.

Когда в период подготовки к проведению Московской олимпиады в 1979 году штатный состав 3-го отделения 11-го отдела Пятого управления КГБ был расширен, в нем появился новый сотрудник — капитан Владимир Кулешов. Переведен он был из Седьмого управления КГБ, осуществлявшего наружное наблюдение за «объектами оперативной заинтересованности» КГБ, прежде всего во время дипломатических приемов, устраиваемых Министерством иностранных дел СССР.

Родился Кулешов в январе 1941 года. Отец его был кадровым военным. Во время Сталинградской битвы в звании полковника отец командовал дивизией, где геройски погиб, и посмертно был награжден званием Героя Советского Союза. Оставил комдив Кулешов после себя двух сыновей. Оба сына воспитывались в суворовских училищах, которые были созданы во время войны для воспитания детей погибших военнослужащих. Старший пошел по стопам отца и достиг больших высот — в 1980-е годы в звании генерал-полковника возглавлял одно из главных управлений Министерства обороны СССР. Младший Кулешов с детства полюбил спорт и, отдавая этому увлечению все свободное время, стал мастером спорта по современному пятиборью. Однако учился он плохо и среднюю школу суворовского училища закончил в 21 год.

Влиятельный старший брат помогал двоечнику Кулешову-младшему оставаться в числе воспитанников училища. Но из училища Кулешов-младший вышел дремучим и безграмотным человеком. В этой патовой ситуации старший брат нашел спасительный вариант — Институт физкультуры. На первом курсе института Владимир Кулешев женился. Вскоре у молодых супругов родилась дочь, через пару лет другая. Жили Кулешовы не просто бедно, а нищенски. Когда в 27 лет Владимир Кулешов окончил институт, отчим, являвшийся директором издательства «Международные отношения» и членом коллегии Министерства иностранных дел, устроил пасынка на работу в МИД. Вскоре Кулешова с семьей отправили в длительную командировку в Швецию, где Кулешов стал завхозом в советском посольстве в Стокгольме.

За границей в каждом советском посольстве действовали разведывательные резидентуры. В составе советских резидентур (за исключением ГРУ, чьих сотрудников курировали органы военной контрразведки) всегда работали представители управления «К» ПГУ КГБ, на которое возлагались задачи внешней разведки во всем мире, включая контроль за сотрудниками посольств советскими разведчиками, работающими под прикрытием посольской резидентуры. В этих целях перед сотрудниками управления «К» стояла задача агентурного проникновения в полицейские подразделения и органы контрразведки и разведки страны пребывания. Именно это управление завербовало в Швеции в качестве своего агента... завхоза посольства Кулешова.

Зарубежная командировка Кулешова близилась к концу. По совету кураторов, еще до ее окончания он стал посещать курсы английского языка при советском посольстве. Заручившись обещанием о поддержке со стороны кураторов от Управления «К» ПГУ КГБ, 33-летний Кулешов возвратился в Москву для службы в КГБ. Теперь он уже не был нищим. По приезде он купил для своей семьи кооперативную квартиру на Ленинском проспекте и автомобиль «жигули».

В КГБ Кулешова зачислили в порядке исключения. Он был мал ростом и по этому критерию к службе в органах не подходил. Кроме того, предельный возраст для зачисления на службу был 33, так как иначе человек просто не успевал выслужить положенный срок для пенсии (подполковники служили обычно до 50 лет, полковники — до 55). По этой причине, став офицером Седьмого управления КГБ, Кулешов не оказался в числе большинства его сотрудников, осуществлявших наружное наблюдение на улицах Москвы во все времена года. Он получил назначение в элитное подразделение, ведущее наблюдение на официальных приемах, организовываемых МИДом СССР для дипломатических представительств зарубежных стран (в тепле и с важной для голодного СССР возможностью бесплатно угощаться деликатесами со столов, накрываемых для представителей дипломатического корпуса).

Со временем Кулешов стал капитаном. В 1979 году он перевелся в 3-е отделение 11-го отдела Пятого управления КГБ, где получил среди коллег прозвище Окурок. Именно на Кулешова-Окурка с радостью для себя спихнул ветеран подразделения Лавров курирование осточертевших ему шахмат.

Самый интеллектуальный в мире вид спорта, яркими представителями которого в течение многих лет были советские шахматисты, оказался в подчинении неуча. Избавлялся Лавров от шахмат по той причине, что в зарубежные поездки в составе малочисленных шахматных команд почти никого из офицеров КГБ не посылали. Место сопровождающего чемпиона мира Анатолия Карпова прочно было занято Пищенко. Других чемпионов советское правительство иметь не планировало. А без зарубежных поездок Лаврову шахматы нужны не были.

Руководил подразделением Кулешова ветеран органов госбезопасности полковник Борис Тарасов. В свои 50 с небольшим он имел огромную выслугу лет — 39. Москвич Борис Тарасов в возрасте 18 лет был зачислен на службу в органы госбезопасности и направлен для прохождения службы в Магадан. Назначение для него было не случайным. Управление, в котором ему предстояло служить, возглавлял его отец. Прослужил Тарасов в Магадане более 20 лет, а так как город этот расположен был за полярным кругом, выслуга лет в этом регионе засчитывалась из расчета год за полтора. За это время Тарасов, работая в подразделениях по борьбе с антисовет-

скими проявлениями, дослужился до звания полковника
и должности начальника 5-го отдела Управления КГБ по
Магаданской области.

В Магаданской области располагалось большое количество лагерей, где отбывали сроки лишения свободы
осужденные по политической 58-й статье («Антисоветская агитация и пропаганда»). Среди заключенных было
большое число знаменитых людей. К числу их относился исполнитель русских романсов и песен Вадим Козин.
Чтобы выжить в условиях сталинских лагерей, Козин
вынужден был стать агентом госбезопасности. Многие годы агентурную связь с ним осуществлял Борис
Тарасов.

За долгие годы Козин и Тарасов подружились, в знак
дружбы Козин подарил Тарасову большое количество своих фотографий и пластинки с записями песен
в своем исполнении с автографами. Работа в агентурном аппарате и дружба с Тарасовым, ставшим начальником 5-го отдела, помогли Козину досрочно выйти на
свободу. Позднее он был реабилитирован. Однако до-
живать он остался в Магадане, где впоследствии и был
похоронен.

Длительная служба в суровых условиях Крайнего
Севера не прошла бесследно и для полковника Тарасова. В 49 лет он был совершенно седой и не имел ни
одного своего зуба. Но благодаря хорошим отношени-
ям с начальником Пятого управления КГБ генерал-лей-
тенантом Бобковым Тарасов был переведен на службу
в Москву на должность заместителя начальника 1-го
отделения 9-го отдела Пятого управления КГБ. Отдел
этот занимался разработкой видных советских диссидентов: писателя Александра Солженицына, академика
Дмитрия Сахарова, Петра Якира, Виктора Красина и
многих других. Курировал отдел лично Бобков, и никто
из его заместителей не смел вмешиваться в дела этого
отдела.

1-е отделение, в которое был назначен Тарасов, вело
разработку академика Сахарова. Отдел изощрялся как
мог. С тем, чтобы лишить Сахарова и его супругу Еле-
ну Боннэр свободы передвижения в принадлежащем им
автомобиле, неоднократно пробивался радиатор, а без

него не поехать — мотор перегревается и заклинивает. Периодически замазывались отверстия дверных замков автомобиля эпоксидной смолой, удалить которую было большой проблемой. Перечень подобных «шалостей» был велик.

В дни голодовки Сахарова в знак протеста против действий советских властей, насильно удерживавших Сахарова и Боннэр в ссылке в городе Горьком (ныне Нижний Новгород), КГБ распорядился поместить их в больницу. Основной целью помещения их в медицинский стационар было ограничение их контактов с внешним миром и недопущение к ним западных журналистов.

Для слежки за Боннэр к ней в палату были положены две сотрудницы госбезопасности — старшие оперуполномоченные майоры Галина Невструева и Алла Демидова, которые день и ночь фиксировали поведение поднадзорной Боннэр, перехватывая ее записки, адресованные внешнему миру. В прошлом указанные женщины-офицеры КГБ были сотрудницами Седьмого управления КГБ, осуществляли наружное наблюдение, а впоследствии были переведены в Пятое управление КГБ к Бобкову. Невструева проходила службу в 9-м отделе управления, а Демидова в — 11-м.

В 9-м отделе по согласованию с председателем КГБ Андроповым оперативные работники, ведущие разработку лидеров советского диссидентского движения, получали кроме настоящих служебных удостоверений личности удостоверения, в которых указывались их ненастоящие фамилии. В практике советских спецслужб широко применяются различные документы прикрытия, маскирующие причастность к органам госбезопасности, например выдаваемые офицерам КГБ удостоверения сотрудников уголовного розыска, но липовые удостоверения офицеров КГБ раньше в СССР не практиковались. Тем самым те, кто непосредственно участвовал в операциях, освобождались от ответственности в случае жалоб, так как в КГБ неизменно отвечали, что в числе сотрудников «такие не значатся».

Прослужив около двух лет в 9-м отделе, Тарасов был переведен на должность начальника 3-го отделения 11-го отдела Пятого управления КГБ. Однако в карьере Тарасова не все было чисто. В числе агентов, находившихся у него на связи, были люди, принимавшие участие в незаконном получении золота с золотых приисков, в большом количестве расположенных на территории области, и в транспортировке этого золота в другие части СССР. В местах добычи золота и транспортных узлах: аэропортах и железнодорожных и автобусных вокзалах — органами внутренних дел и госбезопасности осуществлялись специальные мероприятия по задержанию лиц, причастных к незаконному сбору золота и его транспортировке. Но начальник 5-го отдела Управления КГБ по Магаданской области полковник Тарасов был хорошо информирован об операциях органов МВД—КГБ и умело находил в них «окна» для своей агентуры, причастной к незаконному обороту золота. Тем не менее в какой-то момент деятельностью Тарасова заинтересовалась местная прокуратура. Было возбуждено уголовное дело, по которому проходили отдельные агенты Тарасова и даже его супруга. Нужно было уносить из Магадана ноги. С помощью старого знакомого — генерала Бобкова — Тарасов перевелся в Москву.

Вслед за ним пришли по линии прокуратуры материалы о его магаданском прошлом. И по этой причине, будучи руководителем 3-го отделения 11-го отдела Пятого управления КГБ, сотрудники которого систематически выезжали за границу в составе спортивных делегаций, сам Тарасов выехал за границу всего лишь один раз — в короткую командировку на шахматную олимпиаду в социалистическую Болгарию. Причина заключалась в том, что офицеры госбезопасности, выезжающие за границу, проходили специальную проверку на наличие компрометирующих материалов. О результатах ее информировался отдел заграничных кадров и выездов за границу ЦК КПСС. Сообщить в этот орган о том, что в Пятом управлении КГБ на руководящей должности стоит офицер, проходивший по уголовному делу о незаконном обороте золота, Бобков, разумеется, не мог. Но он мог отправить Тарасова в командировку в социалистическую страну, для выезда в которую спецпроверка офицеров не проводилась.

В подразделении, которое возглавил Тарасов, он получил прозвище Дед. В среде советских шахматистов, с которыми на протяжении ряда лет Тарасов общался, его звали Седой. Заместителем полковника Тарасова служил уже упоминавшийся нами подполковник Давнис. До прихода на службу в КГБ Давнис был агентом одного из районных отделений московского управления госбезопасности. По окончании технического вуза удачно женился на дочери помощника председателя Совета Министров СССР А. Н. Косыгина, при помощи которого в предельном возрасте (старше тридцати лет) был зачислен на службу в КГБ. Практически с момента создания Пятого управления КГБ Давнис служил в нем, занимаясь контрразведывательным обеспечением Университета дружбы народов им. Патриса Лумумбы, проходя службу в 3-м отделе Пятого управления, а затем был переведен в 8-й отдел Пятого управления, осуществлявшего разработку так называемых «еврейских экстремистов», в действительности — отказников, добивавшихся выезда из СССР. При формировании 11-го отдела Пятого управления КГБ в 1977 году Давнис был назначен на должность заместителя начальника 3-го отделения и получил звание подполковника.

С годами у Давниса развилось чувство предельной подозрительности по отношению ко всем, в том числе и к своим непосредственным коллегам, прежде всего потому, что он опасался неприятностей по службе и уголовного преследования. Он нарушил, по крайней мере, два ведомственных закона: расходование оперативных средств на личные нужды (статья 9-я, в чекистском обиходе — «девятка») и запрет на вступление в интимные отношения с женской агентурой.

В период своей службы в «спортивном» 3-м отделении 11-го отдела Давнис начинал свой рабочий день с посещения ресторана гостиницы «Метрополь», в котором питались члены иностранных спортивных делегаций. Там же начинал свой трудовой день начальник протокольного отдела Госкомспорта СССР Михаил Мзареулов, дававший указания на месте сотрудникам протокольного отдела и внештатным переводчикам, работавшим с зарубежными спортсменами.

Справка

Мзареулов Михаил Степанович — начальник протокольного отдела Госкомспорта СССР с начала 1970-х до середины 1980-х гг. Завербован в 1973 г. офицером 1-го отделения 1-го отдела Пятого управления КГБ Смазновым Анатолием Сергеевичем.

Мзареулов, помимо официально занимаемой должности начальника протокольного отдела, являлся резидентом КГБ для работы с переводчиками и осуществлял руководство агентурой из числа переводчиков, привлекаемых для работы с зарубежными спортивными делегациями. В ресторане Давниса всегда ждали готовые агентурные отчеты, собранные для него резидентом Мзареуловым, и после традиционного завтрака он следовал к месту службы на Лубянку. Традиционный бесплатный завтрак позднее списывался как угощение агента в качестве поощрения за представляемую информацию или же как угощение представляющего оперативный интерес иностранца. Так как число принимаемых Спорткомитетом СССР делегаций исчислялось многими десятками, Давнис не голодал.

Что касается женского вопроса, то Давнис, вопреки канонам, состоял в многолетних интимных связях с женской агентурой, появлялся с женщинами-агентами в обществе, участвовал в устройстве их на работу и даже был вхож в семьи некоторых своих женщин-агентов (все это считалось «расшифровкой агентуры» и нарушением правил конспирации). Одну из таких женщин Давнис устроил в 1-й отдел Госкомспорта СССР.

Была у Давниса еще одна слабость: всю жизнь он зачитывался детективами. На его счастье органы госбезопасности СССР осуществляли в стране широкомасштабную перлюстрацию почты. В составе оперативно-технического управления (ОТУ) и соответствующих органах на местах (в союзных республиках, краях и областях) для этого были созданы подразделения почтового контроля (ПК). Сотрудники данного подразделения через свою агентуру и доверенных лиц осуществляли отбор входящей из-за рубежа и уходящей за границу почты, после чего отобранная почта доставлялась в расположение отдела ПК, где вскрывалась таким образом, что факт вскрытия оставался незаметным. Затем вскрытая почта поступала в оперативные подразделения для просмотра и принятия решения — пропускать данное почтовое отправление по адресу или конфисковать.

Почта классифицировалась в соответствии с направленностью деятельности конкретных оперативных подразделений. Например, подразделение, осуществляющее контрразведывательное обеспечение предприятия, выпускавшего продукцию военного назначения, просматривало почту, адресованную его работникам; подразделение, курировавшее спорт, — почту спортивных деятелей и спортсменов.

Любитель детективов, Давнис еще во время службы в 8-м отделе Пятого управления КГБ (разработка «еврейских экстремистов») получил как-то на просмотр почтовое отправление из-за границы, адресованное некоему Игорю Можейко, проживавшему в Москве на улице Мосфильмовская. Для Давниса это посылка была настоящим кладом. В ней было несколько зарубежных детективов. Естественно, он их сразу же конфисковал, а ничего не подозревавшего Можейко поставил на постоянный почтовый контроль и в дальнейшем на протяжении целого ряда лет присваивал себе книги, идущие в адрес Можейко, прикрываясь липовыми актами об их уничтожении.

Можейко был человеком энциклопедических знаний, доктором исторических наук, писателем-фантастом, которым зачитывались миллионы людей. Писал Можейко под псевдонимом Кир Булычев. Именно это имя было широко известно читающей публике. Сам Булычев, поддерживавший с некоторыми сотрудниками КГБ неформальные отношения, жаловался, что высылаемые ему детективы конфискует в КГБ кто-то из любителей этого жанра и что книги доходят лишь в те периоды, когда «любитель детективов» находится в отпуске или в командировке. Так оно в действительности и было.

Оба руководителя 3-го отделения 11-го отдела Пятого управления КГБ — полковник Тарасов и его заместитель подполковник Давнис — с момента создания в конце 1977 года нового подразделения были вынуждены активно заниматься шахматами. Наличие за рубежом советских гроссмейстеров Спасского и Корчного, по мнению

Отдела агитации и пропаганды ЦК КПСС и Управления шахмат Госкомспорта СССР, ослабляли советскую шахматную школу. В 1978 году предстоял матч на звание чемпиона мира по шахматам. У советского гроссмейстера Карпова в этой связи могли возникнуть серьезные препятствия в деле завоевания шахматной короны.

Главным соперником Карпова в его борьбе за чемпионский титул должен был стать именно Корчной, в прошлые годы четырежды завоевывавший звание чемпиона СССР. С целью оказания психологического давления на претендента (так без упоминания имени и фамилии называла в те годы советская пропаганда Корчного) срочно призвали в армию его сына Игоря. Срок службы в армии был два-три года. Но после службы военнослужащий автоматически подпадал под графу «секретность» и по советским законам не имел права покидать пределы СССР в течение как минимум еще пяти лет. Таким образом, призывая Игоря Корчного в армию, советское правительство лишало его права выехать к отцу в ближайшие семь лет, а то и больше. Степень секретности и сроки ее действия определял КГБ. Совершенно очевидно, что для сына «врага народа» Корчного срок секретности был бы определен большой.

Понимал это и Игорь Корчной, которому в этой ситуации оставалось только одно — всеми силами пытаться избежать призыва в советскую армию. Однако сделать это было нелегко. Многочисленные повестки с требованием незамедлительной явки в военкомат сменились практически ежедневными визитами участкового милиционера, пытавшегося лично вручить такую повестку Игорю Корчному. При получении повестки таким образом — под расписку — неявка в военкомат влекла за собой уголовное преследование за уклонение от исполнения воинской обязанности. Оставалось одно — скрыться.

Нетрудно догадаться, что операция по призыву сына Корчного в армию была организована КГБ. Конкретным ее автором был Гаденыш (Лавров), поддержанный непосредственными руководителями — Тарасовым и Дависом. В практике советских спецслужб не было примеров, когда в отношении человека, уклоняющегося от призыва на военную службу, госбезопасность заводила «дело оперативного учета» и начинала «разработку» уклоняющегося. В ведомственных инструкциях КГБ просто отсутствовало описание действий, которыми занимался КГБ в отношении Игоря Корчного. Более того, уголовным законодательством СССР четко регламентировалась сфера деятельности органов госбезопасности: все то, что могло представлять угрозу безопасности страны. Совершенно очевидно, что попытка уклонения от призыва на военную службу Игоря Корчного безопасности СССР угрожать никоим образом не могла.

При разработке мер по нейтрализации за границей Виктора Корчного было установлено, что среди близких ему людей (на языке КГБ — «в числе его близких связей») была гражданка Швейцарии Петра Лееврик, хорошо известная органам госбезопасности СССР. В послевоенные годы Петра Лееврик была студенткой университета в Лейпциге, находившегося в советской оккупационной зоне. Органами советской военной контрразведки она была взята в разработку по подозрению в проведении шпионажа в интересах западных разведок. Разработка Петры Лееврик была завершена ее арестом и высылкой в Советский Союз, где она была осуждена военной коллегией Верховного Суда СССР за шпионаж на 10 лет лишения свободы в лагерях. В 1945 году, когда советская разведка заподозрила Петру в шпионаже, девушке было 17 лет.

Срок наказания в одном из воркутинских лагерей, где в зимнее время температура опускалась до минус 40 градусов, Петра отбыла «от звонка до звонка». В лагере органы госбезопасности продолжали ее разработку, надеясь склонить к сотрудничеству. Но, несмотря на все тяготы лагерной жизни, лишенная возможности общения с родными и близкими и разговора на родном языке, Петра Лееврик сохранила силу духа, отказалась сотрудничать с советскими спецслужбами и не скрывала среди своего лагерного окружения ненависти к стране, где отсиживала срок за несовершенное преступление. Единственным ее пристрастием в лагере стали шахматы. Вернуться на родину Петра смогла только после смерти Сталина, в 1955 году.

Виктору Корчному за границей Петра Лееврик оказывала различного рода помощь. В западной прессе регулярно стали публиковаться интервью с Корчным и Лееврик, ставшей вскоре его гражданской женой. Впоследствии они официально оформят свои отношения, что для параноического КГБ будет выглядеть как спланированная акция западных спецслужб, направленная против СССР через «подвод женской агентуры» сначала к гроссмейстеру Борису Спасскому, а затем и к Виктору Корчному.

По согласованию с Отделом пропаганды и агитации ЦК КПСС КГБ стал понуждать Госкомспорт к активным акциям, направленным на дискредитацию Корчного перед международной и советской шахматной общественностью. В этих целях Управлением шахмат Госкомспорта СССР была инспирирована акция по подписанию коллективного письма советских гроссмейстеров, в котором они должны были резко осудить невозвращение Корчного в Советский Союз и его критические выступления в зарубежной прессе, которые в письме назывались «клеветническими».

Подобные письма за подписями представителей советской интеллигенции практиковались раньше. В частности, Пятым управлением КГБ были подготовлены осуждающие письма против писателей Александра Солженицына, Георгия Владимова, Василия Аксенова и Владимира Войновича, против выдающегося виолончелиста Мстислава Ростроповича. Иезуитская изощренность подобных акций заключалась в том, что те, кто давал согласие на подписание писем против своих коллег по творчеству, ставили себя в положение очевидных конформистов и становились заложниками своего поступка, от которого было не откреститься всю оставшуюся жизнь. Взамен они получали подачки в виде возможности без искусственных затруднений продолжать свою творческую деятельность.

Но были среди представителей советской интеллигенции и другие люди. Они всегда были в меньшинстве, но это не останавливало их в стремлении жить не по лжи. Заведомо зная, на какие лишения они обрекают себя и свои семьи, они отвечали отказом на предложения подписать групповой пасквиль. Эту малочисленную группу людей называли «неподписанты». Письмо с осуждением Корчного не подписали три выдающихся советских гроссмейстера: Михаил Ботвинник, Давид Бронштейн и Борис Гулько. Своим поступком они к шахматным победам прибавили победу торжества человеческого духа над окружавшей их мерзостью.

КГБ трудно было наказать Ботвинника, уже завершившего спортивную карьеру. А вот Бронштейн и Гулько в полной мере испытали на себе мощь репрессивной системы. Бронштейн, лишенный возможности выезжать за границу, на 15 лет был вычеркнут из числа участников международных турниров. Его спортивная карьера была практически сломана. Гулько был отстранен от зарубежных поездок и участия в международных турнирах на территории Советского Союза. Правда, в 1977 году, вопреки усилиям руководства Управления шахмат, Гулько выиграл чемпионат СССР. Тогда, в нарушение регламента соревнований, Гулько и второй претендент на чемпионское звание — Дорфман — были принуждены к матчу между собой. Матч закончился вничью, и вопрос об очередном шахматном чемпионе был формально объявлен открытым.

Курировал шахматы заместитель председателя Госкомспорта агент КГБ Виктор Ивонин.

Справка

Ивонин Виктор Андреевич — заместитель председателя Госкомспорта СССР. Дата вербовки неизвестна. Работу с ним осуществлял заместитель начальника Пятого управления КГБ генерал-майор Абрамов Иван Павлович.

Ивонин был одним из ведущих звеньев в претворении политики этого ведомства в главном спортивном учреждении страны. Хорошо зная тех, с кем он имеет дело, он панически боялся вызвать недовольство со стороны надзирающего ведомства. Ивонин был намерен четко выполнить указания КГБ: Гулько чемпионом не должен быть ни при каком раскладе. Однако в дело вмешался председатель Госкомспорта СССР Павлов, который буквально заставил Ивонина восстановить справедливость и дать Гулько возможность в конце концов получить титул чемпиона СССР по шахматам.

В 1978 году в Буэнос-Айресе проходила шахматная Олимпиада. В соревнованиях принимала участие женская сборная команда СССР, в состав которой входила жена Гулько, Анна Ахшарумова — победительница женского чемпионата СССР по шахматам 1976 года. Павлов и тут сумел убедить ЦК КПСС в необходимости послать на эти соревнования Гулько — в качестве тренера Ахшарумовой. Благодаря настойчивости Павлова выезд был разрешен обоим супругам, что по нормам Советского Союза допускалось крайне редко, так как ближайших родственников обычно оставляли в СССР в качестве заложников.

В соответствии с указаниями, поступившими из Пятого управления КГБ, 5-м отделом УКГБ по Ленинградской области в отношении Игоря Корчного было заведено дело оперативной проверки по статье «антисоветская агитация и пропаганда» (по терминологии КГБ). Заведение дела с подобной окраской — по факту уклонения гражданином от военной службы — было вне компетенции КГБ и являлось очевидным нарушением советского законодательства. Игорь Корчной не участвовал в «антиобщественных акциях» и не занимался правозащитной деятельностью. Он был виновен лишь в том, что был сыном великого шахматиста.

Игорь был взят КГБ под строгое наблюдение. Его телефонные разговоры контролировались и фиксировались в виде ежедневных отчетов. За ним было установлено наружное наблюдение, обо всех встречах Игоря и о его продвижении по городу также составлялись ежедневные отчеты. Из числа его «связей» (т. е. широкого круга знакомых) выявлялась агентура органов КГБ, с которой затем КГБ проводил специальные собеседования, ориентируя агентов на сбор информации о семье Корчного и о планах Игоря. Одновременно вербовалась новая агентура, которая также обязана была выявлять намерения и планы Корчных.

Если изначально у Игоря, как и у его отца, была надежда на возможность скорого их воссоединения за границей, теперь эта надежда постепенно таяла. Было очевидно, что КГБ не разрешит Игорю покинуть СССР. А избежать армии Игорю удастся лишь бегством из собственного дома. Долгих два года Игорь Корчной скитался, находя приют у друзей, поскольку адреса всех родственников, как Игорь правильно полагал, были под контролем органов госбезопасности и милиции. По линии Министерства внутренних дел Игорь был объявлен во всесоюзный розыск. Любой опознавший его милиционер должен был его немедленно арестовать.

В один из дней своих вынужденных скитаний, скрытно проживая на квартире своей московской приятельницы на 2-й Фрунзенской улице, Игорь совершил роковую ошибку и позвонил домой в Ленинград. Звонок сразу же был зафиксирован соответствующей службой оперативно-технического отдела УКГБ по Ленинградской области, и информация незамедлительно поступила в 5-й отдел старшему оперативному уполномоченному майору Безверхову, который вел разработку Игоря Корчного. О полученной информации шифротелеграммой был информирован 11-й отдел Пятого управления КГБ, сотрудниками которого вскоре была установлена квартира, где проживал Игорь. В тот же день квартира была взята под круглосуточное наружное наблюдение.

Через несколько дней Игорь совершил вторую ошибку. Он вышел за продуктами в ближайший магазин и был немедленно сфотографирован сотрудниками службы наружного наблюдения. По ведомственному телетайпу фотография была отправлена в Ленинград для окончательной идентификации, после чего в Москву срочно вылетел майор Безверхов и начальник 3-го отдела Седьмого управления КГБ подполковник Запольских. На свободе Игорю оставалось провести считанные часы.

Ранним июньским утром 1978 года в квартире, где скрывался Игорь, раздался звонок в дверь. Представившись сотрудниками милиции, проверяющими паспортный режим, в квартиру вошла группа захвата, возглавляемая Запольских. Однако в квартире Корчной обнаружен не был. Для уточнения ситуации Запольских, выйдя на лестничную площадку, по рации связался со своими подчиненными, дежурившими в составе бригады наружного наблюдения у подъезда дома, и получил подтверждение, что из квартиры никто не выходил. Вернувшись в квартиру, он стал проводить дополнительный осмотр и, забравшись в коридоре на антресоли под потолком, нашел того, кого спецслужбы и милиция разыскивали более двух лет — Игоря Корчного. Теперь у КГБ появился заложник, столь необходимый для давления на Корчного в матче с Карповым.

До начала матча оставалось несколько месяцев. Арест Игоря Корчного и его осуждение были лишь частью общего плана. В 1976 году по рекомендации КГБ и ЦК КПСС Госкомспорт наложил запрет на участие советских шахматистов в международных турнирах, в которых играл Корчной. В газете «Советский спорт», читателями которой в СССР были десятки миллионов человек, регулярно стали появляться статьи, в которых Виктор Корчной и Петра Лееврик представали в самом плохом свете. Большинство подобных статей по заданию КГБ писались заведующим международным отделом газеты Семеном Близнюком, завербованным 3-м отделением 11-го отдела Пятого управления КГБ под псевдонимом Львов.

Справка

Близнюк Семен Григорьевич — журналист, заведующий международным отделом редакции газеты «Советский спорт». Завербован куратором от КГБ этой газеты и Федерации спортивных журналистов СССР офицером 3-го отделения 11-го отдела Пятого управления КГБ Поповым Владимиром Константиновичем. Использовался широко, чему способствовала занимаемая им должность. Он направлялся на изучение интересовавших КГБ иностранцев, советских журналистов, спортсменов. Присутствовал на матчах Корчной—Карпов. Курировавшим его офицером КГБ преимущественно был офицер 3-го отделения Пятого управления КГБ Пищенко Владимир Михайлович. Псевдоним Львов.

Близнюк (Львов) командировался также на матчи претендентов на звание чемпиона мира по шахматам в филиппинском городе Багио в 1978 году и в итальянский Мирано в 1981 году. Результатом этих командировок были публикации, якобы изобличавшие Корчного и его команду во всякого рода провокациях по отношению к Анатолию Карпову.

Вторил ему другой агент того же подразделения КГБ Александр Рошаль, публиковавший и в своем журнале, и в других ведущих советских изданиях статьи, направленные против Корчного. Для укрепления команды Карпова Рошаль по настоянию КГБ был назначен пресс-атташе советского гроссмейстера, что давало Рошалю возможность пребывать за границей на всем протяжении матча и получать дополнительные командировочные деньги и гонорары за эксклюзивные репортажи о ходе матча.

Во время шахматного матча 1978 года в Багио сражения проходили не только за шахматной доской. Прикрепленный к Карпову сотрудник 3-го отделения Пятого управления КГБ Пищенко, владеющий испанским, по заданию руководства КГБ наладил неформальные тесные отношения с вице-президентом Международной шахматной федерации (ФИДЕ) Кампоманосом. Через Пищенко доверительные отношения с Кампоманосом установил и Карпов. Тогда же КГБ стал «разрабатывать» Кампоманоса как «кандидата на вербовку». Ахиллесова пята вскоре была найдена: вице-президент ФИДЕ мечтал стать президентом. В обмен на обещание подержать его кандидатуру при голосовании в ФИДЕ силами СССР и всего социалистического блока Кампоманос согласился стать агентом КГБ и проводником советской шахматной политики и интересов Карпова. По существу к Кампоманосу был применен метод, который был уже отработан на президенте Международного олимпийского комитета испанце Хуане Антонио Самаранче, завербованном 3-м отделом Второго Главного управления КГБ. Завербованному Самаранчу голосами СССР и других социалистических стран была обещана должность президента МОК.

Справка

Самаранч Хуан Антонио — президент Международного Олимпийского комитета (МОК). Избран президентом МОК в 1980 г. в Москве. До избрания был послом Испании в СССР. Завербован офицером 3-го отдела Второго Главного управления КГБ (отдел вел разработку посольства Испании в Москве). Основа вербовки: незаконный вывоз из СССР предметов антиквариата, что являлось по советским законам уголовно наказуемым деянием. Став агентом КГБ, Самаранч получил поддержку СССР и соцблока при голосовании для избрания его на пост президента МОК.

Но вернемся в Багио. Находившиеся в составе советской делегации офицеры КГБ, сотрудники оперативно-технического управления (ОТУ), ежедневно контролировали состояние здоровья Карпова, беря многочисленные анализы и постоянно проверяя потребляемую Карповым пищу; осуществляли слуховой контроль за помещениями, занимаемыми советской делегацией. Специально выделенный сотрудник Восьмого Главного управления КГБ (шифрование и дешифрование текстов) осуществлял регулярную шифрованную связь с Центром. В этих регулярных шифровках сообщалось не только об обстановке на матче. Главной их составляющей была информация о шахматных позициях и запросы рекомендаций ведущих советских гроссмейстеров для реализации их Карповым в отложенной партии.

По сути дела в Москве в интересах Карпова работали два штаба. Один из них действовал в 11-м отделе Пятого управления КГБ, куда поступала вся оперативная информация о ходе матча. Другой располагался в Госкомспорте СССР. Усилиями КГБ и Госкомспорта большая часть ведущих советских гроссмейстеров были привлечены в качестве консультантов Карпова. Их рекомендации незамедлительно шифротелеграммами поступали в оперативную группу КГБ, действовавшую в составе команды Карпова в Багио.

В состав команды Карпова был также включен психолог Зухарь, основным местом работы которого был Центр подготовки советских космонавтов. Помимо оказания психологической помощи Карпову во время матча, Зухарь должен был посредством парапсихологического воздействия негативно влиять на психику Корчного. В СССР Зухарь был признанным специалистом в этой области. На матче он неизменно занимал первое место в ряду зрителей и не покидал его до окончания игрового дня.

Общими усилиями у «врага советской страны» Корчного для ставленника КПСС и КГБ Анатолия Карпова победа была вырвана. Он стал чемпионом мира. Но эта победа должна была явиться лишь прологом к последующим завоеваниям на ниве шахмат любимцем генерального секретаря ЦК КПСС Леонида Брежнева. Для обеспечения будущих побед Карпова внимательно отслеживались успехи его потенциальных противников. Главный конкурент был определен легко: в Баку рос и мужал гениальный шахматист Гарри Каспаров, первым тренером которого был Александр Никитин.

Справка

Никитин Александр Сергеевич — первый тренер Каспарова. Завербован в 1980 г. заместителем начальника 5-го отдела КГБ Азербайджанской ССР подполковником Литвиновым Виктором Петровичем.

Даже не специалистам в области шахмат был очевиден выдающийся талант Каспарова. Талантливый, экспансивный и непредсказуемый, он внушал советскому руководству серьезные опасения, тем более что по происхождению, как было известно в руководящих кругах, он был наполовину евреем, наполовину армянином. Надежным такой человек казаться не мог. Карпов был русским.

Прежде всего Москва предписала Баку для контроля Каспарова прикрепить к нему офицера КГБ, который бы сопровождал Каспарова во время всех зарубежных поездок. Таким прикрепленным к Каспарову офицером стал заместитель начальника 5-го отдела КГБ Азербайджанской ССР подполковник Виктор Литвинов, в прошлом телохранитель первого секретаря ЦК компартии Азербайджана Гейдара Алиева.

Мастер спорта по современному пятиборью, высокий и широкоплечий, с густой шевелюрой вьющихся волос, красавец-мужчина Литвинов был заметным человеком в Баку. Выбор его был не случаен. Глава республики Алиев внимательно наблюдал за успехами бакинского самородка Каспарова и со своей стороны всячески содействовал созданию для него благоприятных условий. Алиев хорошо знал Литвинова, знал его уравновешенный характер и умение строить отношения с людьми.

Литвинов в полной мере оправдал доверие Алиева. На долгое время он стал как бы членом семьи Гарри Каспарова, искренне заботясь о нем и его матери, очень много значившей в жизни шахматиста.

Литвинов оказался в сложном положении. Он входил в команду Каспарова, но систематически, особенно перед поездками Каспаров за границу, выезжал в Москву за подробным инструктажем. По возвращении с турниров Литвинов обязан был задерживаться в Москве на несколько дней для составления в КГБ подробнейших отчетов о поездках, включающих описание поведения Каспарова, его контактов, взаимоотношений членов его команды и даже о влиянии на него его матери, решавшей многие организационные вопросы в команде своего сына. Но главная проблема заключалась в другом. Для Литвинова все более очевидным становилось откровенно отрицательное отношение к Каспарову со стороны его московских коллег по КГБ.

Курировавший в КГБ шахматы капитан Кулешов с Литвиновым был знаком со времен совместного участия в чемпионатах СССР по современному пятиборью: оба были мастерами спорта. Дружны они не были, слишком разные были люди. Встретившись вновь как сотрудники КГБ, подружиться они тем более не могли. Литвинов, будучи ровесником Кулешова, уже занимал заметный пост в КГБ Азербайджана, к тому же имел привилегию по сопровождению Каспарова в заграничные поездки. Ничего этого у невзрачного Кулешова не было. Так у Кулешова, привыкшего ненавидеть успешных в жизни людей, появился очередной враг — Литвинов. И появилась новая цель: стать вместо Литвинова прикрепленным к Каспарову офицером КГБ.

В Москве эта идея пришлась по вкусу. По указанию московских коллег, в частности заместителя начальника 11-го отдела Пятого управления КГБ майора И. В. Перфильева, Литвинов познакомил Кулешова с Каспаровым и его матерью. Но чем больше Кулешов пытался сблизиться с семьей Каспаровых, тем очевидней становились Каспаровым преимущества Литвинова. Проект по замене Литвинова пришлось отменить.

В 1981 году предстоял очередной матч на звание чемпиона мира по шахматам между Анатолием Карповым и Виктором Корчным. В КГБ внимательно изучались связи Корчного среди советских гроссмейстеров, могущих

оказать ему помощь в подготовке к матчу. Потенциаль-
ным помощником и союзником Корчного, по мнению
КГБ, мог стать молодой московский гроссмейстер Борис
Гулько, отказавшийся подписать коллективное письмо
против Корчного и вместе с женой подавший заявление
на выезд в Израиль.

В КГБ заявление четы Гулько об эмиграции произве-
ло эффект разорвавшейся бомбы. Руководство советских шахмат было уверено, что в случае выезда за границу
Гулько сможет стать тренером Корчного в его подготовке к матчу с Карповым и во время самого матча. Об этом
в своих интервью неоднократно заявлял сам Корчной.
Положение (для КГБ) усугублялось еще и тем, что жена
Бориса Гулько Анна Ахшарумова тоже была сильней-
шей шахматисткой и в 1976 году стала победительницей
женского открытого чемпионата СССР, в котором принимали участие чемпионка мира Нона Гаприндашвили
и будущая чемпионка мира Майя Чибурданидзе. Выдающиеся успехи Ахшарумовой давали веские основания
предполагать, что ее выезд из СССР на постоянное место жительство в любую страну мира создаст реальную
угрозу доминированию советских шахматисток в мире,
так как она имеет все шансы стать очередной чемпионкой мира. Именно так считал экс-чемпион мира Михаил
Ботвинник, полагавший, что с отъездом Ахшарумовой
СССР может потерять шахматную корону.

Наиболее озабоченным в данной ситуации был Анатолий Карпов. Формально агентурную связь с Карповым
(Раулем) осуществлял Пищенко. Но основную работу и с
Карповым, и с его помощниками, ближайшим из которых
были два Алика, как их называли в шахматной среде —
Александр Бах и Александр Рошаль, — проводил непосредственный начальник Пищенко Тарасов.

Справка

Бах Александр Григорьевич — завербован в 1979 г. начальником 3-го отделения 11-го отдела Пятого управления
КГБ полковником Тарасовым Борисом Васильевичем.

Именно Бах, вхожий в круг Гулько, по указанию Тарасова настойчиво предлагал Гулько отказаться от планов
выезда на постоянное жительство за границу, взамен суля

различные блага, прежде всего возможность участия в престижных зарубежных турнирах. Однако Гулько на уговоры не поддался.

Техническую работу по ведению разработки Гулько было поручено вести Кулешову. Но так как у Кулешова опыта такой работы не было, разработку фактически осуществлял Тарасов. После изменения кадрового состава 11-го отдела к этой деятельности подключился также новый заместитель начальника отдела майора Перфильева. Именно Перфильевым (в присутствии Кулешова) был завербован новый начальник управления шахмат Крогиусс, сменивший на этом посту Батуринского. Крогиусс избрал себе псевдоним Эндшпиль, под которым сотрудничал с КГБ—ФСК—ФСБ до момента своего выезда в США на постоянное место жительства. В США эмигрировал и его верный помощник гроссмейстер Гуфельд, также завербованный в свое время Перфильевым и Кулешовым как агент КГБ.

По канонам КГБ вербовка агента, совершаемая двумя оперативными работниками (независимо от их должностного положения), засчитывалась обоим. Для Перфильева, тогда занимавшего в чине майора должность заместителя начальника отдела, новые вербовки важны не были. Новичку Кулешову новые вербовки шли в зачет. Со временем неграмотный работник КГБ, не умевший написать простейший оперативный документ (за него их писал Тарасов или коллеги Кулешова), дорос до должности оперативного уполномоченного и звания подполковника.

Неудовлетворенный результатом разработки Гулько, который никак не отказывался от идеи эмиграции из СССР, в дело вмешался куратор 11-го отдела Пятого управления КГБ генерал-майор Абрамов. Он решил лично воздействовать на упрямца.

Во времена, когда во главе КГБ стоял Андропов, в работе органов госбезопасности широкое применение нашла так называемая профилактика. Заключалась она в следующем. В процессе агентурно-оперативной деятельности КГБ накапливалась информация о проведении отдельными лицами или группой лиц деятельности, могущей нанести определенной вред политической системе СССР. На начальной стадии такой деятельности некоторых лиц, представлявших для КГБ определенный интерес, вызывали для проведения официальной беседы в целях разъяснения противоправности их действий. Считалось, что подобными разъяснительными беседами можно было уменьшить число потенциальных диссидентов в стране. В случае если профилактика не давала результатов, КГБ выносил официальное предостережение, после которого, как правило, следовал арест и суд.

Намерение Гулько эмигрировать не подпадало под категорию деяний, требовавших профилактической беседы. Но от подчиненных заместителя начальника Пятого управления КГБ генерала Абрамова зависело выполнение указания генерального секретаря ЦК КПСС Брежнева и председателя КГБ члена Политбюро ЦК КПСС Адропова. С учетом этих обстоятельств и в целях более решительного воздействия на Гулько Абрамов решил провести профилактическую беседу лично. А чтобы Гулько было пострашнее, Абрамов пригласил его на беседу в свой кабинет на Лубянке.

Приглашение для беседы в помещение КГБ рассматривалось как важная часть профилактики. Подобные беседы могли проводиться офицерами КГБ в различных точках: в местах учебы, работы, в партийных и общественных организациях. Считалось, что сам факт приглашения на беседу в КГБ оказывает на профилактируемого мощное психологическое воздействие. Советские люди хорошо помнили времена, когда с таких бесед просто не возвращались, и приглашенные прямо с беседы на много лет отправлялись в тюрьмы и лагеря. Некоторых после таких бесед просто расстреливали. Разумеется, это было при Сталине. Но психологический расчет КГБ как раз и строился на том, что почти в каждой советской семье были репрессированные в сталинские годы родственники. И уверенности в том, что после беседы тебя отпустят, никогда не было.

Чем известней был вызываемый, тем старше по чину был беседующий с ним офицер КГБ. С известной эстрадной певицей Аллой Пугачевой и ее мужем кинорежиссером Стефановичем профилактическую беседу проводил сам генерал-лейтенант Бобков. С Гулько эту беседу провел Абрамов. В назначенный день и час в подъезде № 5 дома № 1/3 по Фуркасовскому переулку, фасадом выходящим на площадь Дзержинского, гроссмейстера Гулько встретил верный подручный генерала Абрамова майор Лавров. Преодолев четыре высокие ступеньки и пройдя проверку документов, которой занимались стоящие в подъезде прапорщики, Гулько и Лавров поднялись на медленно идущем лифте на последний девятый этаж здания. На этом этаже непосредственно перед лифтом располагался кабинет Бобкова, а в самом конце длинного коридора, уходящего направо от лифта, — кабинет Абрамова. Были там и другие служебные кабинеты 1-го и 9-го отделов Пятого управления.

Угловой кабинет Абрамова был просторным. Генерал восседал за массивным столом из красного дерева, спиной к огромным до потолка окнам, из которых открывался великолепный вид на московский Кремль. Картина эта у человека, впервые оказавшегося в его кабинете, безусловно, должна была вызвать душевный трепет. Было очевидно — человек, сидящий в таком кабинете вершит человеческие судьбы.

Генерал Абрамов поднимался по служебной лестнице с самой ее нижней ступеньки. В годы войны рыл окопы на подступах к Москве. В боевых действиях не участвовал, но, став генералом, сумел получить удостоверение участника Отечественной войны. После рытья окопов был принят на службу в комендантский взвод Управления НКВД по Москве и Московской области. Во время прохождения службы был комсомольским активистом, избирался секретарем комитета комсомола Управления, что положительно сказалось на его карьере. С первых дней службы уяснил два важных постулата: безоглядно служить КПСС и никогда не перечить своим начальникам.

В 1960—70 с годы его имя было уже хорошо известно в среде московской интеллигенции. Тех, кто рисковал критически относиться к советской власти и роли компартии, Абрамов безжалостно карал. Те, кто участвовал в акциях правозащитников на Пушкинской площади Москвы, вряд ли забудут имя организатора разгонов мирных демонстраций и арестов их участников. Им был ставший к тому времени полковником Абрамов.

Усердие его было замечено. Из территориального органа, которым являлось Управление по Москве и Московской области, Абрамов был переведен в центральный аппарат КГБ на должность начальника 1-го отдела недавно созданного Пятого управления, призванного бороться с «идеологическими диверсиями противника».

В 1968 году Абрамовым и его подручными были арестованы, а затем преданы суду шесть отважных молодых людей, не побоявшихся выйти на Красную площадь с протестом против ввода советских войск в Чехословакию. Спустя год на весь мир прогремело уголовное дело двух советских писателей Юлия Даниэля и Андрея Синявского, вина которых заключалась в издании своих произведений за пределами СССР. В 1972 году на свежем воздухе в Москве художники-неформалы, непризнанные правительством, провели несанкционированную, т. е. не разрешенную правительством, выставку своих картин. Выставка получила название «бульдозерная», так как ее участников разгоняли гусеничными бульдозерами, превратившими художественные полотна, выставленные на земле, в щепки и лохмотья. Вслед за бульдозерами шли поливочные машины, нещадно поливавшие участников выставки и посетителей водой. Это была настоящая акция устрашения, наглядно демонстрирующая, что те, кто охраняет существующую в стране власть, не остановятся в деле ее защиты ни перед чем. Руководил этой операцией полковник Абрамов.

Известного диссидента Владимира Буковского, позже обмененного на генерального секретаря чилийской компартии Луиса Корвалана, также арестовывал Абрамов. Травлю писателей Владимира Войновича и Георгия Владимова, Василия Аксенова и Анатолия Гладилина, приведшую к их эмиграции из СССР, тоже организовывал Абрамов, ставший со временем и генералом, и заместителем начальника, а затем начальником Пятого управления КГБ. Именно с этим человеком предстояло теперь встретиться для разговора гроссмейстеру Борису Гулько.

Имевший богатый опыт ломки людей и человеческих судеб, генерал Абрамов меньше всего ожидал потерпеть поражение в деле Гулько. Строптивый шахматист стоял на своем: хочу уехать. И переубедить его Абрамов был не в состоянии. В первый и, наверное, в последний раз генерал Абрамов устыдился своего звания и, отпуская Гулько, сказал ему, что при необходимости тот может связаться с ним, позвонив по служебному телефону Лубянки и попросив «полковника Абрамова». Неудобно было генералу Абрамову демонстрировать, на каком уровне решалась судьба гроссмейстера Гулько и кем была проиграна партия.

Учитывая отрицательный результат беседы, Абрамов дал команду «прессовать» Гулько по всем направлениям. Абрамов знал, что довольно часто противники системы, столкнувшись с ее жесточайшим «прессингом», ломались и просили о пощаде. Давление на Гулько началось со всех сторон. Руководители советских шахмат разного уровня попеременно вели беседы с ним и его женой Ахшарумовой, кто угрозами, кто посулами пытаясь склонить к изменению решения о выезде из СССР. По приказу КГБ чету Гулько лишили стипендий (так назывались ежемесячные гарантированные выплаты ведущим советским спортсменам), их фамилии исчезли из числа участников внутрисоюзных турниров. Вместе с недавно родившимся ребенком Гулько остались практически без средств к существованию.

Однако советскому правительству не везло. В 1979 году еще один советский шахматист — Лев Альбурт — попросил политического убежища в США, когда находился в составе советской команды на международном турнире в ФРГ. Выпускать Гулько сейчас — значило открыть зеленую улицу эмиграции всем советским гроссмейстерам. А этого власти опасались не меньше чем проигрыша Карпова в матче с Корчным. Гулько и его жене мстили теперь еще и за Альбурта.

Приближалась Московская олимпиада 1980 года. Руководство Советского Союза было весьма озабочено ситуацией, складывающейся вокруг предстоящих игр за рубежом и внутри страны. Советская армия только что вошла в Афганистан. Президент Картер объявил бойкот Олимпийских игр. Советская внешняя политика подверглась критике во всем мире. Жестокое преследование инакомыслящих и отказ евреям, желающим эмигрировать из СССР, стали основной причиной критики внутренней политики советского правительства мировым сообществом и политическими лидерами демократических стран.

Особое внимание критики советской системы обращали на использование советским правительством в карательных целях психиатрии. Авторами этой идеи были председатель КГБ Андропов и начальник Пятого управления Бобков. План состоял в том, чтобы таким образом уменьшить количество осужденных политических заключенных. Претворяя в жизнь указания Андропова, Бобков распорядился либо помещать диссидентов в психиатрические лечебницы специального типа, либо привлекать арестованных по политическим статьям к уголовной ответственности за уголовные преступления.

Охрану психиатрических лечебниц специального типа осуществляли военнослужащие Министерства внутренних дел, что обеспечивало жесткий режим пребывания находящихся в нем пациентов. Строго ограничивался контакт пациентов с внешним миром. По предписанию врачей пациентам насильственно определяли курс лечения. Попадавшим туда людям быстро становилось понятно, что психбольницы в СССР были страшнее тюрьмы. Заключенный, отбывавший срок в местах лишения свободы, отбывал его по решению суда и определенное количество лет. Правозащитники, помещенные в психбольницы, находились там не по решению суда, срок пребывания в больницах не был определен и ограничен, а прав у таких «больных» вообще никогда не было.

Тех же, кого привлекали к ответственности за политические преступления по уголовным статьям, еще на стадии предварительного следствия, как правило, содержали в следственных изоляторах вместе с уголовниками, которые при попустительстве тюремной администрации чинили свою расправу над подследственными из числа правозащитников.

Но что же было делать в преддверии Олимпиады с упрямой семьей Гулько? Как избежать общения Гулько с иностранцами или открытых его протестов во время Московской олимпиады? Не сажать же шахматистов в сумасшедший дом за желание уехать из Советского

Союза! Полковнику Тарасову в голову пришло несколько умных мыслей. Сначала Карпов (Рауль) через знакомых Гулько гроссмейстеров Сосонко и Разуваева довел до него информацию о том, что вопрос о его выезде, возможно, будет решен положительно. Это было намеренной дезинформацией. Смысл ее заключался в том, что Гулько накануне олимпиады в течение какого-то времени не будет участвовать в протестах отказников. Так как полной уверенности в бездеятельности Гулько не было, Тарасов решил отправить Гулько подальше от Москвы в почетную временную ссылку. От агентуры из числа видных шахматистов Тарасову было известно о дружеских отношениях между Гулько и талантливым тренером гроссмейстером Дворецким, чьей подопечной была одна из сильнейших грузинских шахматисток Нана Александрия. Вместе с тренером она как раз должна была в эти дни готовиться к турниру на спортивной базе Госкомспорта СССР «Эшеры», расположенной на территории Абхазии. Спортбаза эта имела статус олимпийской и лучшего места для «ссылки» Гулько трудно было придумать.

В 1977 году по указанию КГБ все спортивные базы, получившие статус олимпийских, были взяты под оперативный контроль органами госбезопасности. На них производилась массовая вербовка агентуры среди обслуживающего персонала и велась работа с агентурой в сборных командах СССР по различным видам спорта. Агенты полковника Тарасова Алики (Бах и Рошаль) убедили ничего не подозревавшего Дворецкого в том, что его другу Гулько было бы полезно всего отдохнуть от всех проблем в «Эшерах», одновременно участвуя в тренировке Александрии. Дворецкий пригласил Гулько в «Эшеры», и Гулько приглашение принял.

Для контроля Гулько были использованы оперативные возможности КГБ Абхазской АССР. Номер, в котором проживали супруги Гулько, заранее был оборудован средствами слухового контроля. Кроме того, в «Эшеры» были отправлены два агента КГБ: агент 3-го отделения 11-го отдела Пятого управления КГБ, сотрудник управления медико-биологического обеспечения Госкомспорта, выезжавший в качестве врача в составе шахматных команд СССР за границу и знавший Гулько лично, и Батуринский. Уже в «Эшерах» КГБ предпринял попытку завербовать еще одного агента — самого Дворецкого. Тот отказался, и за это на год был лишен «по оперативным соображениям» права выезда за границу.

Операция завершилась успешно. Во время олимпийских игр в Москве акций протеста со стороны семьи Гулько не последовало. Олимпиада в Москве закончилась без происшествий. Из-за оккупации Афганистана и неучастия в играх многих ведущих спортсменов ряда стран, бойкотировавших Олимпиаду, эти соревнования стали триумфом советской команды, получившей 80 золотых медалей. Мало кто знал в СССР и за его пределами, как именно завоевывались эти медали. В антидопинговом центре Московской олимпиады допинговые пробы советских спортсменов менялись на идеально чистые. Для обеспечения судейства в пользу советской сборной на подкуп иностранных судей по секретному решению ЦК КПСС Госкомспорту СССР была выделена значительная сумма в американских долларах. Активно использовались валютные средства КГБ на ценные подарки, которые через агентуру КГБ дарились в этих же целях иностранным судьям.

По завершении Московской олимпиады многие сотрудники КГБ были награждены различными правительственными и ведомственными наградами. Тарасов был награжден медалью «За доблестный труд». Кулешов был повышен в должности и вскоре стал майором. Была определена следующая веха борьбы на шахматном фронте: весной 1981 года должен был состояться тщательно планируемый в КГБ матч между Карповым и Корчным на звание чемпиона мира.

В преддверии матча Карпов дважды встречался с Андроповым в его кабинете в здании на Лубянской площади. К весне в КГБ был разработан план агентурно-оперативных мероприятий по оперативному обеспечению матча, в котором было предусмотрено участие оперативных сил и средств целого ряда подразделений центрального аппарата КГБ: ПГУ, Оперативно-технического управления, Пятого управления, Восьмого Главного управления (шифрование и дешифрование). Данным планом для Пятого управления, в частности, предусматривалась дальнейшая нейтрализация действий предполагаемого помощника Корчного гроссмейстера Гулько. И тут Гулько повезло второй раз (после отдыха на базе в Абхазии). Он получил от Госкомспорта СССР новую квартиру.

Для наблюдения и превентивных действий в отношении разрабатываемого Гулько необходим был слуховой контроль. Для этого необходимо было оборудовать его квартиру прослушивающей аппаратурой. Установка подобной техники по адресу, где Гулько проживал с родителями, было затруднительно, так как кто-то из членов многочисленной семьи Гулько все время находился дома, прежде всего отец Гулько, инвалид войны.

Чтобы решить эту проблему, Перфильев убедил Госкомспорт СССР выделить Гулько и его жене новую квартиру в районе новостройки Строгино. Такую квартиру можно было заблаговременно оборудовать прослушивающей аппаратурой и всегда быть в курсе планов Гулько и Ахшарумовой.

По терминологии госбезопасности установка слухового контроля за помещением называлась мероприятием «Т», на чекистском сленге «Татьяна». В обычных условиях результат звукового перехвата поступал на специальный передатчик, скрытно монтируемый на чердачных или подвальных подсобных помещениях жилого дома, откуда в кодированном виде перехваченная информация поступала на контрольный пункт 12-го отдела КГБ, где она расшифровывалась и записывалась на специальную магнитную ленту. После этого следовала обработка информации операторами 12-го отдела, которые ее распечатывали на пишущей машинке и придавали информации читабельный вид. Дом, в котором располагалась подобранная для Гулько квартира, не был телефонизирован, как и весь микрорайон, где находился новый жилой дом. Это создавало определенные трудности для технического персонала 12-го отдела КГБ, который устанавливал и затем использовал средства слухового контроля и передачи перехваченной информации.

Для обеспечения процесса перехвата и передачи информации на чердаке дома, где располагалась квартира, выделенная для Гулько, был смонтирован передатчик, обеспечивавший передачу информации, полученной в ходе слухового контроля. Передатчик был обложен кирпичной кладкой и надежно замурован. От него была проложена проводная линия на крышу дома, также надежно укрытая и исключающая возможность ее обнаружения. Далее линия по воздуху соединялась с крышей рядом стоящего жилого дома, где она контактировала с приемником информации, также надежно замурованным на чердачном этаже здания. Через внутренние технические коммуникации строений линия была выведена на конспиративную квартиру, оборудованную 12-м отделом КГБ. На этой квартире был обустроен рабочий пост операторов КГБ, обеспечивающих фиксацию перехваченной информации, ее обработку и экстренную связь с круглосуточно несущим службу дежурным 12-го отдела КГБ и Управлением правительственной связи (УПС).

Мобильных телефонов в тот период еще не было. Поэтому сотрудники КГБ, обеспечивавшие теле- и радиосвязь, использовали стационарные радиостанции. Именно такая радиостанция и была установлена на конспиративной квартире. Дверь квартиры была надежно укреплена, а операторы из КГБ, работавшие в квартире, имели личное оружие на случай непредвиденных ситуаций.

Операторами 12-го отдела, обрабатывающими информацию, были исключительно молодые женщины, имевшие звание прапорщиков. В основном они были выпускницами курсов стенографисток при Министерстве иностранных дел СССР, отобранные для службы в КГБ. Одна из таких женщин — Урсулова — во времена перестройки была назначена председателем КГБ, генералом армии Крючковым, заместителем начальника 12-го отдела. Должность эта была генеральской. Так в системе советских спецслужб впервые в их истории появилась женщина генерал-майор, получившая генеральское звание за службу в подразделении по подслушиванию бесед «объектов оперативной заинтересованности».

Обеспечение средствами слухового контроля квартиры гроссмейстера Гулько и использование этой техники для получения необходимой информации о планах и намерениях Гулько было весьма затратным мероприятием. Значительных денежных средств стоила установка аппаратуры и обработка получаемой информации. Операторы 12-го отдела работали на конспиративной квартире вахтовым методом по 24 часа в сутки. Заступали они на службу на неделю и в течение этого срока не имели права выходить из квартиры и связываться с внешним миром по неслужебным вопросам. Продукты питания им доставлялись сотрудниками 12-го отдела КГБ.

К затратам по разработке Гулько также следует отнести службу наружного наблюдения, стоимость которой в сутки равнялась стоимости автомобиля. Но цель оправдывала средства. А целью была победа Карпова на чемпионате мира по шахматам.

Игорь Корчной по-прежнему сидел в тюрьме, что вызывало протесты во всем мире, так как участники предстоящего матча — Карпов и Корчной — находились в явно неравных условиях. Президент ФИДЕ Ф. Олафсон пошел поэтому на беспрецедентный шаг — перенес начало матча с 19 сентября на 19 октября 1981 года, формально мотивируя свое решение желанием предоставить советской стороне больше времени для решения вопроса об освобождении Игоря Корчного и предоставлении ему и его матери возможности эмигрировать. Гулько и Ахшарумова на одном из заседаний федерации шахмат в преддверии матча зачитали свое открытое письмо в поддержку Корчного. Однако, несмотря на давление со стороны ФИДЕ и инициативу Гулько и Ахшарумовой, Игоря Корчного не освободили и семью к Виктору Корчному не выпустили. Давление на Гулько только возросло, притом теперь к КГБ присоединился лично Карпов: Александр Бах по согласованию с полковником Тарасовым встретился с Гулько и передал ему крайнее недовольство Карпова действиями Гулько в защиту Корчного.

Карпов вел очень тонкую игру не только на шахматной доске, но и в шахматной политике. Он сумел убедить Тарасова, что после его очередной победы над Корчным (в которой Карпов, имея за собой поддержку и КГБ, и советского правительства, и Кампоманоса, был уверен) Гулько можно будет выпустить из СССР, так как в качестве тренера Корчного он опасен уже не будет. Угроза советскому шахматному престижу со стороны

Ахшарумовой Карпова не волновала: ведь он был чемпионом среди мужчин! Оставшись же в СССР, Гулько мог
начать консультировать поднимающегося Каспарова.
А вот это для Карпова было смертельно опасно. Именно
поэтому Карпов убеждал Тарасова в необходимости как
можно скорее выбросить Гулько из страны после своего матча с Корчным в 1981 году в итальянском городе
Мерано.

Оглашением своего открытого письма Гулько и Ахшарумова планы Карпова нарушили. Карпову пришлось
выслушать серьезные упреки со стороны Тарасова, который заявил, что Гулько после своей акции в защиту
Корчного из СССР не будет выпущен никогда. Однако
расправу с Гулько решено было отложить до окончания
матча в Мерано.

По распоряжению Андропова и в соответствии с
планом агентурно-оперативных мероприятий на период
матча в Мерано было решено отправить туда дипломатической почтой уникальное и секретное оборудование,
имевшее кодовое название «Шатер». Это многотонное
устройство экранировало внутренние помещения и
практически полностью исключало возможность слухового контроля помещения «противником». Устройство
было разработано специалистами КГБ и использовалось
исключительно при выездах за границу первых лиц государства с правительственными визитами, во время которых делегации размещались в предоставляемых при-
нимающей стороной резиденциях.

За несколько дней до начала матча в аэропорт города Милана в сопровождении членов опергруппы КГБ,
имевших дипломатические паспорта, прибыли три ог-
ромных контейнера. В аэропорту их встречали сотрудники советской разведки, действующие в Италии под
прикрытием советского посольства. Груз прибыл как
дипломатический и таможенному досмотру не подле-
жал. Правда, итальянских таможенников смутил вес и
габариты груза, и они настаивали на досмотре. Но когда в дело вмешался советский МИД и советский посол в
Италии, груз пропустили без досмотра.

«Шатер» был затем смонтирован на вилле, выделен-
ной Анатолию Карпову на период матча и находящейся

под круглосуточной охраной офицерами КГБ из оперативной группы, прибывшей в Италию. Посещать виллу не имел права никто из «посторонних», даже жена Карпова Ирина, прибывшая на матч как туристка, хотя она и была дочерью заместителя начальника управления РТ (разведка с территории) ПГУ КГБ генерала Куимова.

Кроме защиты от прослушивания помещений, где разместился Анатолий Карпов со своей командой, технические специалисты КГБ из состава оперативной группы скрытно проникали в места размещения команды Виктора Корчного для установки аппаратуры слухового контроля. У одного из молодых европейских гроссмейстеров была испаноговорящая жена. Она была завербована Пищенко и в КГБ известна была под псевдонимом Амиго. Муж ее был в хороших отношениях с Корчным, имел постоянные контакты с ним и членами его команды и присутствовал на матчах и в 1978 году, и в 1981-м. Через Амиго КГБ опосредованно получал информацию о происходящем в штабе Корчного. В результате штаб Карпова ежедневно имел достаточно полную картину подготовки Корчного к очередной партии.

В составе опергруппы КГБ находились также специалисты по отравляющим веществам, в задачу которых входил ежедневный контроль за пищей Карпова и контроль за его физиологическими отправлениями. Целью их было недопущение ввода посторонними лицами каких-либо веществ, могущих негативно повлиять на состояние здоровья советского чемпиона мира. Одновременно эти же специалисты имели в своем распоряжении особые вещества, вызывающие чувство тревоги, нарушение сна и повышение артериального давления. Этими веществами были обработаны помещения, в которых располагалась команда Корчного и куда скрытно смогли проникнуть сотрудники оперативной группы КГБ.

В случае неблагоприятного хода матча для Карпова разработанный КГБ план предусматривал ввод Корчному препарата, вызывающего острую сердечную недостаточность со смертельным исходом. Но это, разумеется, предусматривалось лишь в самом крайнем случае — если бы Карпов проигрывал.

Усердно трудились в ходе матча специалисты КГБ в области парапсихологии, находившиеся в составе оперативной группы. Научными разработками в области возможного дистанционного воздействия на психику человека в Советском Союзе занималось несколько десятков институтов. Лучшие их разработки и разработчики использовались в интересах КГБ. Члены команды Корчного в достаточной мере испытали на себе весь имеющийся у КГБ арсенал. Члены опергруппы КГБ и остальные члены команды Карпова четко отдавали себе отчет в том, что проигрыш им на родине не простят. Равным такое состязание назвать было трудно.

С полным накалом шла борьба за победу Карпова в Мерано и в самом СССР. По указанию КГБ Управление шахмат Госкомспорта, возглавляемое агентом Крогиусом (Эндшпилем) обязало всех ведущих советских гроссмейстеров анализировать каждую партию Карпова—Корчного и предлагать свои рекомендации по их ходу. Устойчивую ежедневную связь с Мерано обеспечивал шифрограммами КГБ. Однако, несмотря на все предпринимаемые усилия, во второй половине матча Карпов традиционно начал сдавать. Ему не хватало физических сил. У параноически настроенной опергруппы КГБ появилось подозрение, что на Карпова как-то негативно влияют. Тогда руководством оперативной группы КГБ была разработана операция, в результате которой техническим специалистам опергруппы удалось скрытно проникнуть в строго охраняемый итальянской полицией зал, где проходил матч и обследовать кресло, на котором сидел Карпов. В сиденье, снизу, была обнаружена дырка размером десять на пять сантиметров. Других подозрительных факторов, которые могли пагубно влиять на физическое состояние Карпова, выявлено не было.

Факт обнаружения дырки в сиденье кресла был воспринят в КГБ весьма серьезно. По мнению руководства оперативной группы КГБ, это свидетельствовало о попытках воздействия на Карпова со стороны противоборствующей команды и развязывало руки оперативной группе КГБ: если бы Корчной был близок к выигрышу, он мог неожиданно умереть от острой сердечной недостаточности.

Но Корчной выжил, потому что проиграл. Карпов вновь стал чемпионом мира. Второй победой Советского Союза стало смещение ненавистного советским властям главы ФИДЕ Олафсона и избрание на этот пост завербованного Пищенко агента КГБ Кампоманоса. В шахматах на несколько лет установилась эпоха Карпова. Любое его желание исполнялось ФИДЕ беспрекословно.

Для КГБ шахматные баталии на этом не закончились. В Москве в сентября 1982 года проходил межзональный турнир первенства мира. Благодаря прослушиванию квартиры Гулько КГБ знал, что во время турнира Гулько с женой проведут демонстрацию протеста против действия советских властей, не выпускающих их в Израиль.

Заместителем начальника 11-го отдела Пятого управления КГБ в этот период был подполковник Перфильев. Накануне турнира у него произошли неприятности: в июне 1982 года в Испании во время пребывания на международных соревнованиях попросила политического убежища член сборной команды СССР по синхронному плаванию Васса Герасимова. Герасимова давно разрабатывалась отделом Перфильева, поскольку были установлены контакты Герасимовой и 2-го секретаря посольства Канады в Москве Гаевского. Гаевского в свою очередь разрабатывал 2-й отдел ВГУ, разумеется, по подозрению в шпионаже.

У Гаевского и Герасимовой был роман, и в КГБ рассматривали вопрос о запрещении Герасимовой выезда в Испанию. Но Перфильев, за которым было решающее слово, счел информацию недостаточной для запрета и выезд разрешил. Герасимова через две недели выехала в Испанию, где сразу же обратилась к властям с просьбой о предоставлении политического убежища.

В этот период времени возглавлял КГБ генерал армии Федорчук, отличавшийся суровым нравом. Это был первый за время его руководства случай бегства, и Федорчук дал команду разобраться и наказать виновных. Занималось проверкой инспекторское управление КГБ. Вина Перфильева была установлена, и Перфильеву был объявлен строгий выговор. Понимая, что над его карьерой нависла угроза, Перфильев с удвоенной силой ринулся в «шахматные баталии». Необходимо было, как он полагал, доказать свою состоятельность на должности руководителя отдела и свою непримиримость к тем, кто является противником существующего в СССР строя.

Местом проведения межзонального шахматного турнира была определена гостиница «Спорт», построенная перед Московской олимпиадой. Своим фасадом она выходила на Ленинский проспект и не имела ограждений по периметру. Это обстоятельство не на шутку испугало Перфильева, и он сумел добиться переноса турнира в гостиницу «Дом туриста», расположенную неподалеку и огражденную высоким забором.

Напуганный недавним наказанием, Перфильев ввел небывалые меры безопасности. Всегда открытые для всех желающих шахматные мероприятия были впервые превращены в закрытый турнир, посетить который могли лишь счастливые обладатели пригласительных билетов, раздаваемых партийными организациями по месту работы и в Центральном шахматном клубе. Любителям шахмат из других городов СССР турнир был недоступен. Кроме того, охрану здания гостиницы по периметру и внутри нее осуществляли несколько десятков военнослужащих ОМОНа — отдельного милицейского отряда особого назначения. Внутри турнира несли постоянное дежурство офицеры госбезопасности УКГБ по Москве и Московской области и Пятого управления КГБ.

Меры по ограничению допуска на шахматный турнир преследовали основной целью не допустить демонстраций протеста со стороны Гулько. В первый день начала турнира Перфильев направил к месту его проведения заместителя начальника 3-го отделения подполковника Давниса, который должен был руководить совместными действиями КГБ, внутренних войск МВД и милиции, обеспечивающих общественный порядок на подступах к гостинице, по ее периметру и непосредственно в зале. Высокий, плотного сложения, с крупной практически лысой головой, Давнис обходил гостиницу по внешнему периметру, проверяя, надлежащим ли образом организована ее охрана, когда его взору предстала живописная картина. На противоположной стороне проспекта никем не удерживаемые злодеи — Гулько и его жена — развернули плакат с надписью, сделанной крупными буквами: «Отпустите нас в Израиль».

Это было ЧП, так как стало понятно, что многочисленные меры предосторожности, придуманные в параноидальном страхе проштрафившимся Перфильевым, не сработали. Перенос турнира из одной гостиницы в другую, отсутствие свободного доступа на турнир, задействование сотен сотрудников КГБ, подразделений внутренних дел и милиции — все оказалось напрасно. Гулько с Ахшарумовой стояли с плакатом, и сделать с ними было ничего нельзя.

На глазах у Давниса толпа людей, осаждающая вход на территорию гостиницы, явно обратила внимание на протестантов с плакатом. Ситуация выходила из-под контроля. Времени на отдачу каких-либо указаний не было. В ярости, совершавший ежедневно многокилометровые пробежки Давнис в несколько прыжков пересек проспект и мгновенно в клочья изорвал злополучный плакат. Сдав нарушителей порядка — Гулько и его жену — милиции, Давнис победителем вернулся в расположение 11-го отдела Пятого управления КГБ, прихватив с собой в качестве трофея разорванный плакат. Остатки плаката были приобщены к делу Гулько.

Пробраться незамеченным к месту проведения шахматного турнира Гулько помогли некоторые особенности в режиме работы службы наружного наблюдения КГБ. Как правило, «наружка» заканчивала работу в полночь. Лишь в редких случаях наружное наблюдение велось круглосуточно. Для круглосуточного наблюдения необходимо было вдвое больше людей, так как несшим службу в ночное время необходим был отдых. Подобным образом обстояло дело и со службой слухового контроля, которая ночью в автоматическом режиме все записывала, а расшифровку проводила в рабочие часы на неделе. По всей вероятности, Гулько покинули свою квартиру рано утром, и их уход никем не был замечен.

Разбираться с задержанными был отправлен старший оперуполномоченный майор Пищенко. От Перфильева он получил указание обязательно выяснить, где находится второй плакат, заготовленный Гулько. Информация о наличии второго плаката «Отпустите нас в Израиль!» поступила к этому времени от службы слухового контроля. Перфильев справедливо опасался, что после того, как задержанные будут выпущены из отделения милиции, они со вторым плакатом вновь направятся к месту проведения турнира для продолжения акции протеста. Однако второй плакат не был обнаружен (Гулько рассказывать о местонахождении второго плаката отказались, пытать их не стали).

Когда на следующий день Перфильев пригласил в свой кабинет двух старших оперативных уполномоченных майоров — В. В. Мартынова и В. К. Попова — он выглядел явно встревоженным. К этому времени уже была получена информация о том, что Гулько и его жена планируют повторить вчерашнюю акцию протеста перед Домом Туриста, где проходит шахматный турнир, перед большим скоплением зрителей и западных журналистов, и что, вооружившись вторым плакатом, супруги Гулько уже двигаются в направлении Дома Туриста. Мартынову и Попову в этой связи приказывалось любыми мерами физического воздействия не допустить Гулько к месту проведения соревнований. Однако рукоприкладством перед камерами иностранных журналистов майорам заниматься не хотелось. Попов предложил Перфильеву выдать ему письменные инструкции и предписания, как именно задерживать Гулько с Ахшарамовой. «Умный слишком. Оба свободны», — ответил Перфильев и нашел другое решение.

У Перфильева с Поповым был конфликт. В преддверии летней Олимпиады в Москве в 1980 году состоялись зимние Олимпийские игры в Лейк-Плэсид (США). Как обычно, на соревнования в составе советской спортивной делегации выезжала оперативная группа КГБ, возглавляемая заместителем начальника 11-го отдела Пятого управления подполковником Перфильевым. По возвращении, в соответствии с внутренними приказами КГБ, руководителем опергруппы был составлен подробный отчет о командировке. В нем Перфильев красочно описывал, как он боролся с вражескими спецслужбами во время пребывания на Олимпиаде.

В его многостраничном отчете не нашел отражение факт, который был ему известен. По возвращении в Москву агент майора Попова Близнюк (Львов), находившийся на Олимпиаде в качестве спецкорреспондента, представил агентурное сообщение, в котором доносил, что в последний день соревнований сотрудники газеты «Советский спорт» Рыжков и Коршунов провели несколько часов в комнате пресс-центра соревнований, которая была выделена для редакции радиостанции «Голос Америки». В этой же комнате находился бывший сотрудник редакции газеты «Советский спорт» Рубин, выехавший из СССР несколько лет назад на постоянное место жительства в Израиль и проживающий в США. Рубин активно сотрудничал с радиостанцией «Голос Америки», рассказывая о теневых сторонах жизни советских спортсменов. По этой причине Рубин разрабатывался 11-м отделом Пятого управления КГБ.

Агентурное сообщение Близнюка в срочном порядке было доложено Перфильеву, так как факт контактов советских журналистов с сотрудниками радиостанции «Голос Америки» должен был быть отражен в отчете оперативной группы. Перфильев расписался на агентурном сообщении и вернул его Попову. Естественно, в отчете Перфильева руководству КГБ об Олимпиаде сведения Львова отражения не нашли, поскольку факт контакта советских журналистов с эмигрантом Рубиным автоматически считался бы упущением Перфильева. Но подпись Перфильева на донесении агента Попова осталась. Кроме того, в соответствии с практикой, существовавшей в КГБ, на других экземплярах агентурного сообщения агента Львова майором Поповым были сделаны отметки о том, что донесение передано Перфильеву.

Через пару недель после окончания Олимпиады в Лейк-Плэсиде в отдел Перфильева с резолюцией куратора Пятого управления заместителя председателя КГБ генерал-полковника В. М. Чебрикова поступил регулярно издаваемый для руководства КГБ сборник радиоперехвата по всему миру. Система эта называлась «Арктика». Осуществляли радиоперехват корабли, внешне похожие на океанографические, занимающиеся исследованиями в высоких широтах. На самом деле их огромные антенны ловили иные сигналы: они занимались глобальной прослушкой телефонных разговоров всего мира.

Указанной системой был перехвачен телефонный разговор двух сотрудников радиостанции «Голос Америки». Один из них — Дулерайн звонил из Нью-Йорка своему коллеге Юрию Змию, работавшему на «Свободе» в Мюнхене. Дулерайн рассказывал коллеге о своих впечатлениях об Олимпиаде в Лейк-Плэсиде и упомянул о встрече с двумя советскими журналистами. По словам Дулерайна, советские журналисты, фамилии которых он не называл, критично отзывались о советской действительности, а один из них заявил, что если бы не больная жена, он бы в Советский Союз не вернулся.

Прочитав радиоперехват, Чебриков сделал пометку: «Бобкову Ф. Д. Кто они?» Бобков наложил свою резолюцию заместителю начальника Пятого управления Абрамову: «Установить совжурналистов. О результатах доложить». Куратор 11-го отдела генерал Абрамов адресовал радиоперехват заместителю начальника 11-го отдела подполковнику Перфильеву. И тут Перфильев понял, что его ожидают крупные неприятности. Ведь ему об этом разговоре доложил первым его же сотрудник, принесший донесение агента Близнюка, а он не дал этому донесению хода.

Ситуация получалась для Перфильева очень невыгодная. Началось расследование, которое вел начальник 11-го отдела полковник Б. С. Шведов. Перфильев заявил, что не видел донесения Близнюка (Львова) и что о контактах советских журналистов ему не докладывали. Тогда Перфильеву предъявили первый экземпляр доноса с его размашистой подписью с характерным хвостиком в ее конце и двумя вертикальными точками над ним. Отпираться было бессмысленно: «Подпись моя, но сообщения я этого не видел», — сказал Перфильев.

Оплошность Перфильева не имела для него последствий. Со временем Перфильев стал заместителем начальника Управления «З» (Управление по защите конституционного строя), преемника Пятого управления КГБ, а 19 августа 1991 года, в первый день попытки военного переворота в СССР, получил звание генерала, пробыв в нем до 22 августа — дня провала ГКЧП. Именно в дни путча вновь испеченный генерал Перфильев отдавал приказы об аресте депутатов Верховного Совета СССР Гдляна и Иванова, а когда дело дошло до следствия, которое вела в отношении путчистов военная прокуратура, от своих устных приказов открестился, заявив, что его подчиненные превратно поняли указания (один из таких подчиненных, 42-летний майор Борис Молотков, от расстройства получил обширный инфаркт). Перфильев же и из этой переделки вышел невредимым, вскоре организовав вместе с уволенным со службы начальником Управления по защите конституционного строя генералом В. П. Воротниковым охранную компанию.

Именно из-за недоразумения с донесением Львова майор Попов потребовал у Перфильева письменного приказа в отношении физической расправы с Гулько. Перфильев же, получив отказ своего подчиненного выполнять устный приказ, связался по телефону с Главным управлением внутренних дел (ГУВД), возглавляемым полковником Панкратовым. В период подготовки и проведения Олимпиады-80 в Москве и при обеспечении безопасности на традиционных соревнованиях по хоккею на приз газеты «Известия» и фигурному катанию «Нувель де Моску» 11-м отделом Пятого управления КГБ был налажен хороший деловой контакт с ГУВД. Панкратов не отказал Перфильеву. Его подчиненные, которым не впервой было избивать граждан, перехватили Гулько на подступах к Дому Туриста, избили и доставили в ближайшее отделение милиции.

Гулько по освобождении из милиции обратился за медицинской помощью, в ходе оказания которой были засвидетельствованы побои и серьезная гематома на ноге. Факт задержания и избиения Гулько милиционерами получил широкую мировую огласку, чем остались недовольны в ЦК. КГБ начал внутреннее расследование. Перфильев от своих слов отказался, и виновным в инциденте признали полковника Панкратова. С тех пор сотрудничество 11-го отдела Пятого управления КГБ с ГУВД не выходило за рамки действий, предусмотренных письменными совместными планами.

Среди участников межзонального шахматного турнира в Москве был английский гроссмейстер Кин, хороший знакомый и ассистент Корчного в различных шахматных турнирах. В КГБ долго думали, впускать ли Кина в СССР или же закрыть ему въезд в страну. В конце концов Кину въехать и участвовать в турнире разрешили, но с момента прибытия в СССР КГБ начал его разработку. Кин и его багаж были тщательно досмотрены на таможенном пункте в международном аэропорту «Шереметьево-2». В гостинице, где размещались участники турнира, Кина поместили в «плюсовой» номер, т. е. в номер, оборудованный техникой слухового контроля. Его контакты отслеживались агентурой КГБ и службой наружного наблюдения.

В один из дней «наружка» зафиксировала визит Кина и американского гроссмейстера Ларри Крисчиансена к Гулько. Служба слухового контроля за квартирой Гулько записала со своей стороны длительную беседу между хозяином квартиры и иностранцами, предложившими Гулько написать статью о его шахматной карьере и проблемах, которые он испытывает, пытаясь выехать из СССР. Предполагалось, что статья будет опубликована в шахматном журнале.

Но опубликована она не была. Получивший от Гулько статью Кин в прослушиваемом КГБ номере своей гостиницы передал статью Крисчиансену. Но поскольку и этот разговор был записан, в «Шереметьево-2» американского гроссмейстера уже ждал старший оперуполномоченный майор Кулешов. Офицером ВГУ, действующим под прикрытием сотрудника таможни, Крисчиансен был подвергнут тщательному таможенному досмотру. В багаже была обнаружена и конфискована (с составлением протокола в связи с попыткой вывоза из СССР материалов, не подлежащих вывозу) рукопись Гулько. Позднее на основании изъятой статьи и протокола таможни Крисчиансену закрыли въезд в СССР.

Тогда Гулько вместе с женой начали бессрочную голодовку. Для ее проведения они переехали в квартиру родителей Гулько, где был телефон, дабы связываться с иностранными журналистами и зарубежной общественностью. Но по письменному приказу полковника

Тарасова московский телефонный узел телефон отключил. Пытаясь морально поддержать голодающих шахматистов, квартиру начали посещать другие отказники.

Следует отметить, что отказниками занимался 8-й отдел Пятого управления КГБ. Этот же отдел занимался выводом своей «еврейской агентуры» в Израиль, США и другие страны с целью внедрения в зарубежные еврейские организации. В целях конспирации агентура, готовившаяся для вывода из СССР по еврейской линии, сначала для видимости удерживалась внутри страны и принимала активное участие в деятельности отказников, формируя у зарубежной общественности образ активных борцов с тоталитарным советским режимом. На сотрудничество с органами КГБ шли и отдельные отказники, пытавшиеся таким образом получить заветное разрешение на выезд. Став отказником, Гулько должен был быть передан 8-му отделу Пятого управления КГБ. Но подполковник Перфильев настоял на том, чтобы Гулько остался за 11-м отделом.

В один из дней голодовки Гулько и Ахшарумовой на их квартире должен был собраться шахматный клуб отказников. Разработчики Гулько из КГБ были прекрасно осведомлены о многочисленных посетителях квартиры Гулько и Ахшарумовой и о состоянии здоровья голодающих шахматистов, тем более что кроме «прослушки» и «наружки» в работу были вовлечены находившиеся в среде отказников агенты. Именно из-за присутствия агентов в числе посетителей квартиры Гулько КГБ не препятствовал посетителям.

Шахматный клуб Гулько планировал, однако, не просто собраться в квартире и провести блицтурнир, но еще и информировать об этом западные средства массовой информации. А вот это в планы КГБ никак не входило. В день, когда на квартире Гулько должны были собраться члены шахматного клуба, сотрудники 3-го отделения 11-го отдела КГБ во главе с полковником Тарасовым блокировали квартиру. Все пришедшие к Гулько были задержаны и препровождены в милицию для составления протокола об установлении личности и сопротивлении представителям власти. Среди задержанных были и агенты КГБ, доставленные в милицию для конспирации.

Одним из них был высокий плечистый красивый мужчина средних лет, в момент задержания и в отделении милиции ведший себя дерзко, демонстрируя сатрапам свое презрение. Был он человеком интеллигентным, научным сотрудником одного из научно-исследовательских институтов, и никто не догадывался тогда, что уже много лет он состоял особо доверенным агентом старшего оперативного уполномоченного 8-го отдела Пятого управления КГБ майора Гагарина, готовившего его на вывод за рубеж. Выполняя задание своего офицера-куратора, в тот же день этот человек связался с рядом западных журналистов, аккредитованных в Москве, в разработке которых он также принимал участие, и информация о блокировании квартиры Гулько пошла на Запад.

Это был план начальника 8-го отдела Пятого управления КГБ подполковника Валерия Лебедева, утвержденный руководством КГБ по выводу в Израиль агента «на длительное оседание» (по терминологии западных спецслужб — спящий агент). Засылаемым человеком был агент 8-го отдела Пятого управления КГБ Шабтай Калманович, в конце концов арестованный и осужденный в Израиле за шпионаж в пользу СССР. Его куратор Лебедев работал в КГБ до 22 августа 1991 года, дослужившись до должности заместителя председателя КГБ. Он был куратором Управления «З» (Управления по защите конституционного строя), преемника Пятого управления. Занимавший пост 1-го заместителя Председателя КГБ СССР Бобков заблаговременно, до ввода в стране ГКЧП, в разработке которого он принимал самое действенное участие, добровольно покинул свой пост в начале 1991 года и ринулся осваивать партийные деньги КПСС, которые перед самым распадом СССР выводились за границу, в том числе через Фонд мира СССР, председателем которого был шахматист Анатолий Карпов.

В период голодовки Гулько в Советском Союзе произошли значительные события. Умер Брежнев. В стране назревали серьезные перемены. Всем стало не до супругов Гулько. Им разрешили принимать участие во внутрисоюзных соревнованиях, в том числе в 43-м чемпионате

СССР по шахматам в Таллине. КГБ, однако, не оставлял их в покое. В отсутствие Гулько и Ахшарумовой подчиненные полковника Тарасова зачастили к ним домой. В оперативно-техническом управлении (ОТУ) КГБ были специалисты, которых называли «ключники». Не было замков, которые эти специалисты не могли бы открыть — от сложнейших сейфов иностранных посольств до замков дверей квартир советских обывателей. Проникновение в квартиру Гулько оформлялось как оперативное мероприятие «Д» — негласный досмотр помещения. Проводилось оно, как правило, с целью выявления предметов или материалов (например, письменных), изобличающих объекта разработки в проведении им противозаконной деятельности. В квартире Гулько заведомо нечего было искать, но можно было, прикрываясь оперативным мероприятием, хулиганить. После каждого проникновения в квартиру намеренно оставлялись открытыми водопроводные краны, и квартиру, естественно, затапливало. Оставлялись настежь открытыми окна, отчего по всей квартире гулял ледяной ветер.

Несмотря на эти мелкие шалости КГБ, недавно вышедшие из тяжелой голодовки Гулько и Ахшарумова успешно провели таллинский чемпионат. Ахшарумова практически выиграла первенство. КГБ вновь пришлось в срочном порядке вмешиваться в ход соревнований с тем, чтобы чемпионские лавры не достались отказнице. В конфликт вовлекли даже летчика-космонавта Виталия Севастьянова, руководившего Шахматной федерацией СССР.

Севастьянов с курирующими шахматы кагэбэшниками знаком был хорошо. С Пищенко он приятельствовал, часто виделся с ним за границей, где Пищенко неизменно сопровождал Карпова. Пищенко же познакомил Севастьянова со своим непосредственным начальником полковником Тарасовым, с которым впоследствии Севастьянов сверял все свои шаги в деле руководства федерацией шахмат. От прямых контактов с начальником Тарасова Перфильевым Севастьянов уклонялся. Поэтому Перфильев все вопросы решал через начальника Управления шахмат Госкомспорта СССР агента Крогиуса (Эндшпиля), а Севастьянов свои вопросы решал через Тарасова.

Когда фарс с фактическим лишением Ахшарумовой Золотой медали чемпионки СССР по шахматам зашел в тупик, Севастьянов по совету Тарасова просто отказался рассматривать вопрос, лишив, таким образом, Ахшарумову чемпионского титула.

После смерти Брежнева пост генерального секретаря партии занял Андропов. Вместо Андропова КГБ возглавил его первый заместитель В. М. Чебриков. Одним из заместителей нового главы КГБ стал Бобков, а начальником Пятого управления КГБ был назначен генерал Абрамов (Ваня Палкин), бывший заместителем Бобкова. На место главы Госкомспорта СССР был назначен приятель генерала Абрамова и друг будущего генсека КПСС Михаила Горбачева заместитель заведующего Отделом агитации и пропаганды ЦК КПСС Грамов, ранее как завотделом ЦК требовавший не допустить протесты супругов Гулько. Возглавив Госкомспорт, Грамов спешил заключить с Гулько перемирие и направил на переговоры с Гулько в его прослушиваемую квартиру своего заместителя Гаврилина и сотрудника КГБ Попова как представителя Пятого управления КГБ.

Однако разговора не получилось. Беседа была непродолжительной. Очаровать Гулько пришедшие не смогли. Попов, которого впоследствии (как зафиксировал слуховой контроль квартиры) Гулько обозвал «кондовым гебистом», весь разговор молчал. Гаврилин как представитель Госкомспорта заявил, что Госкомспорт не имеет отношения к вопросам эмиграции из страны, но может предложить Гулько оплачиваемую работу.

Работы и денег у Гулько тогда не было. Глава семьи явно выглядел много старше своих лет не только по причине седых волос и практического их отсутствия. Весь его облик говорил пришедшим о страданиях, выпавших на его долю. Печальным выглядел и его маленький сынишка на вид лет пяти, с большими выразительными глазами на бледном красивом личике. Убогая обстановка в квартире только дополняла тяжелое впечатление о жизни семьи, столько лет противостоящей могущественной системе.

После ухода гостей квартира Гулько немедленно была вновь блокирована сотрудниками госбезопасности.

Всех, кто пытался ее посетить в этот день, фотографировали для последующей идентификации. Службой слухового контроля и наружного наблюдения было зафиксировано нахождение в квартире Гулько неустановленного мужчины, который, как оказалось, присутствовал в ней на протяжении всего разговора Гулько с Гаврилиным и Поповым. При выходе от Гулько неизвестный был остановлен сотрудником 11-го отдела Пятого управления КГБ, одетого в милицейскую форму. Неизвестный назвался именем недавно умершего (о чем спрашивавшие не знали) шахматиста и был отпущен, но взят под наружное наблюдение и затем установлен как совсем другой человек: Борис Постовский. Позднее Постовского вызвали для объяснений к Кулешову и даже пытались завербовать как агента для участия в разработке Гулько, но он отказался.

Времена наступали другие. Что-то менялось. Не помогали подметные письма о супружеской неверности Ахшарумовой, изготовленные Кулешовым по наущению большого мастера провокаций полковника Тарасова. Под носом у Лубянки в выставочном зале на Кузнецком мосту прошла художественная выставка, приуроченная к недавно прошедшей Спартакиаде народов СССР. В числе художественных полотен была выставлена картина под названием «Поединок», на которой была изображена Анна Ахшарумова, ведущая борьбу за шахматной доской с монстрами. Время теперь уже работало на Гулько.

В середине 1083 года в небольшом городке Пасадена, в Калифорнии, под Лос-Анджелесом, должен был состояться полуфинальный матч претендентов за шахматную корону Корчного и Каспарова. Отвечавшие за безопасность матча 11-й отдел Пятого управления и ПГУ КГБ должны были высказаться «за» или «против» матча.

В штате Калифорния для сотрудников советских диппредставительств традиционно существовал жесткий режим передвижения из-за нахождения там Силиконовой долины, военно-морской базы Тихоокеанского флота США и иных военных объектов, в том числе школы военных разведчиков в окрестностях города Монтерей, недалеко от Сан-Франциско. Немногочисленная резидентура советской внешней разведки, действовавшая под прикрытием генерального консульства СССР в Сан-Франциско, расположенного примерно в 900 км севернее Пасадены, не располагала, как считали в КГБ, необходимыми людскими и техническими возможностями для работы в ходе предстоящего матча. Для выезда сотрудников генконсульства в Лос-Анджелес требовалось разрешение Госдепартамента США, получаемое за две недели до выезда, с указанием цели поездки, ее продолжительности и даты выезда. Кроме того, ЦК КПСС и КГБ хотели отомстить Америке за бойкот Олимпийских игр 1980 года отказом проводить матч в США.

С другой стороны, в Калифорнии проживало много эмигрантов из России, покинувших родину в различные годы. Конечно, матч вызвал бы интерес у бывших соотечественников и американцев, тем самым открыв офицерам разведки прекрасные перспективы для вербовки. Особенно соблазнительной казалась перспектива завербовать кого-нибудь из преподавателей или слушателей школы военных разведчиков в Монтерее.

Решающее слово оставалось за Центром. Но те, кто курировал шахматы в 11-м отделе Пятого управления КГБ, вообще не были заинтересованы в проведении матча с участием Каспарова. Место рядом с Каспаровым было прочно занято всегда сопровождавшим Каспарова Литвиновым. По этой причине московским шахматистам в штатском рассчитывать на длительную, а потому особенно желанную зарубежную командировку не приходилось. Негативное отношение центрального КГБ к Каспарову как к основному конкуренту Карпова диктовало необходимость в целом усложнить и замедлить путь Каспарова к схватке за корону чемпиона мира, а не упростить и ускорить его.

Лавров любил повторять, что политику определяют оперы, а не генералы и был в этом отчасти прав. Документы для доклада руководства готовил оперативный состав, и генералы невольно рассматривали проблемы через призмы своих подчиненных. Именно стараниями Лаврова Москва в свое время приобрела Олимпийскую деревню 1980 года совсем не там, где ее первоначально планировалось разместить.

При подготовке к московской Олимпиаде 1980 года рядом со станцией метро «Измайловская» был построен огромный комплекс из высотных гостиниц, где предполагалось разместить спортсменов — участников игр. Рядом находились корпуса Института физической культуры и спорта, располагавшего прекрасной спортивной базой, включавшей стадион, которые могли быть использованы олимпийцами в качестве тренировочной базы. Но при разработке мер по обеспечению безопасности на предстоящих играх Лавров написал докладную о нецелесообразности использования комплекса в период Олимпиады. Так, Москва обзавелась новым микрорайоном «Олимпийский». Мотивировал же свой вывод Лавров рассуждением о том, что если террористы окажутся на крышах высотных строений Измайловского комплекса, обезвредить их будет крайне сложно. Подготовленный им ответ был завизирован генералом Абрамовым и подписан председателем КГБ Чебриковым. Вопрос был решен.

Таким же образом поступил Лавров с предстоящим в США матчем претендентов на звание чемпиона мира по шахматам. Им были подготовлены несколько справок, свидетельствовавших о сложной оперативной обстановке в районе Лос-Анджелеса, серьезных затруднениях по обеспечению безопасности советского участника матча и членов его команды. Перфильевым и Лавровым была подготовлена докладная записка в ЦК КПСС, в которой высказывалась мысль о нецелесообразности участия советского шахматиста в матче претендентов в американском городе Пасадена, так как организаторы соревнований не смогут якобы в необходимой мере осуществить меры безопасности в ходе матча. Докладную записку завизировали генерал Абрамов, первый заместитель КГБ генерал армии Бобков и председатель КГБ Чебриков. Секретариат ЦК КПСС поддержал мнение КГБ. Судьба матча была предрешена. Каспаров был лишен возможности сразиться за шахматной доской с Корчным, и победа была защитана Корчному.

Тем временем к сидевшему в отказе Гулько были успешно подведены два агента. Одним из них был случайный, но старый знакомый Гулько Андрей Макаров, завербованный агент 3-го отдела Пятого управления КГБ, который использовался в разработке Гулько по просьбе 11-го отдела Пятого управления КГБ. Но Гулько сразу же отнесся к нему с подозрением, и особой пользы КГБ Макаров принести не смог. С другим агентом КГБ повезло больше, так как тот сумел стать другом Гулько, втерся к нему в доверие и через Гулько смог установить контакты с рядом видных правозащитников СССР, от которых получал не только интересующую КГБ информацию, но и важный для последующего выезда за границу политический капитал как заметный участник правозащитного движения в Советском Союзе.

Была сделана даже попытка использовать в разработке Гулько иностранного дипломата, но она закончилась провалом. В одной из протестных акций Гулько участвовал дипломат из Мальты, пытавшийся помогать советским диссидентам. Мальтийца стал разрабатывать КГБ с целью его вербовки в качестве агента. В разработке принимала участие жена дипломата, уже работавшая на КГБ в качестве агента. Когда же КГБ стало очевидно, что на вербовку дипломат не пойдет, мальтиец был спровоцирован на участие в какой-то шумной акции и на этом основании был выдворен из СССР. На его дипломатической карьере на родине из-за скандала был поставлен крест.

В сентябре 1984 года в Колонном зале Москвы начался безлимитный (до шести побед, одержанных одним из участников) матч на звание чемпиона мира по шахматам между ставленником КГБ и советского правительства Карповым и Каспаровым. К началу матча 11-м отделом Пятого управления КГБ был подготовлен многостраничный план агентурно-оперативных мероприятий в период проведения соревнования между двумя советскими гроссмейстерами. План был утвержден заместителем председателя КГБ генерал-полковником Бобковым. Все телефонные переговоры Каспарова, его матери и тренеров команды записывались. Комната отдыха, выделенная для Каспарова в помещении Колонного зала, была оборудована средствами слухового контроля. Благодаря этому КГБ был хорошо информирован о теоретических разработках Каспаровым перед предстоящими партиями, планировании ходов во время ведения очередной партии и психологическом и физическом состоянии самого Каспарова. Весь турнир, с утра до вечера, не пропустив ни одной игры, в зале находился Перфильев, организовывавший непосредственно на месте работу подчиненных ему офицеров-оперативников, производивший инструктаж и контроль деятельности сотрудников и агентов КГБ, находящихся в Колонном зале, координировавший действия с начальником Управления шахмат Госкомспорта гроссмейстером Крогиусом (Эндшпилем). Имея столь серьезную поддержку со стороны КГБ, Карпов уверенно начал матч и повел в счете. Вскоре счет стал 5:0 в его пользу. Казалось, неблагоприятная для Каспарова развязка была близка. Ликовал не только Карпов. Ликовали еще и шахматисты из КГБ. Как оказалось — преждевременно.

В безвыходной для Каспарова, как многим казалось, ситуации он неожиданно начал выигрывать партию за партией. Счет стал 5:3. С каждой партией Каспаров играл все решительнее, тогда как Карпов, очевидно, сдавал и физически, и морально. В КГБ запаниковали. Уже не было в живых ни Брежнева, ни Андропова, а в КГБ до сих пор считали, что чемпионом обязательно должен стать их агент Карпов. Перфильев использовал все имевшиеся в его распоряжении оперативные и административные ресурсы. Под угрозой оказался не чемпионский титул Карпова, а его собственная карьера. Генеральские погоны, которые мерещились после победы Карпова, уносились куда-то вдаль (и унеслись, как оказалось, в август 1991 года). По указанию Перфильева Пищенко денно и нощно уговаривал и ублажал (в том числе многотысячными подарками) теперь уже агента КГБ президента ФИДЕ Кампоманоса придумать что-нибудь, чтобы предотвратить победу Каспарова. Одновременно Кампоманоса обрабатывал глава федерации шахмат СССР Севастьянов. За подписью Бобкова в ЦК ушла докладная с предложением остановить матч, причем новый матч начать со счета 0:0, чтобы решение не выглядело как принятое в пользу Карпова и, главное, чтобы не вызвать гнев могущественного покровителя Каспарова Гейдара Алиева.

Секретариат ЦК КПСС поддержал предложение КГБ. С Кампоманосом к тому моменту все было согласовано, и решением главы ФИДЕ матч был остановлен.

Шахматная общественность мира и СССР была в шоке. Решение Кампоманоса противоречило всем существующим нормам и правилам. Но какие же могли быть правила, когда за звание чемпиона мира бились еще и КГБ с ЦК.

В этот день был рожден Каспаров, тот Каспаров, которого мы знаем сегодня, — бескомпромиссный борец за справедливость в своей стране.

Все более настойчиво напоминал о себе отказник Гулько. В одном из американских журналов неожиданно для КГБ появилась статья Гулько, описывавшая его борьбу за выезд. Как эта статья оказалась за границей, в КГБ не знали. Это был очевидный прокол гигантской системы, круглосуточно отслеживавшей все контакты и разговоры Гулько. У майора Кулешева возникли серьезные неприятности по служебной линии.

КГБ немедленно потребовал от руководства Госкомспорта СССР проведения с Гулько профилактической беседы. Беседу провели, припугнули Гулько уголовным преследованием, но эта беседа, как стало ясно в дальнейшем, лишь убедила Гулько в необходимости действовать более решительно. А тут еще умер очередной генеральный секретарь Черненко. Его место занял молодой и деятельный Горбачев, сразу же объявивший о необходимости преобразований в стране и разрядки международной обстановки.

В апреле 1986 года в одном из красивейших городов Швейцарии, в Берне, должна была состояться встреча руководителей ряда стран Европы в рамках Совещания по взаимопониманию и сотрудничеству в Европе. Зарубежные средства массовой информации уже сообщили, что во время этой встречи будет проведен шахматный турнир под девизом «Салют Гулько». Организатором этого турнира выступил давнишний враг КГБ и советского режима известный во всем мире правозащитник Владимир Буковский.

КГБ пришлось в срочном порядке давать объяснения аппарату нового генерального секретаря по поводу удержания семьи Гулько в Советском Союзе и вырабатывать систему мер по предотвращению его выступлений. Но действия КГБ теперь только провоцировали Гулько на ответные шаги. В период работы очередного съезда КПСС в феврале-марте 1986 года Гулько организовал и провел массовую голодовку протеста, в которой кроме него приняли участие несколько отказников, в том числе и женщины. Перед началом голодовки была проведена пресс-конференция с участием зарубежных тележурналистов. Эффект получился неплохой. В КГБ загрустили.

По окончании голодовки Гулько уведомил целый ряд государственных организаций СССР о том, что в первой половине апреля, за несколько дней до начала Совещания глав европейских стран в Берне и начала шахматного турнира «Салют Гулько», он начинает демонстрации протеста. КГБ пребывал в растерянности. Сведения, поступавшие из ЦК КПСС, свидетельствовали о нежелании нового генерального секретаря иметь проблемы с отказниками и объясняться по их поводу с лидерами ведущих стран мира. Как поступать в такой ситуации, не знали ни Кулешов, ни Перфильев, ни даже Бобков. Все шло по инерции. Как и ранее, планы Гулько контролировались агентурой и средствами слухового контроля за его квартирой. По-прежнему каждый его шаг отслеживала служба наружного наблюдения. При выходе Гулько на демонстрацию КГБ задействовал собственные подразделения и милицию, пытаясь сорвать протестные акции Гулько. Рвались плакаты, арестовывались и доставлялись в милицию демонстранты. Устав от повторяющихся акций протеста и не желая привлекать внимание прохожих к акциям Гулько, «отказников» пытались блокировать уже на подступах к памятнику Гоголю, у которого проводились демонстрации. В разгонах приходилось принимать участие даже Кулешову, ранее не опускавшемуся до практической уличной работы.

Пока Гулько с женой, одетые в черные майки с надписью «Отпустите нас в Израиль», в очередной раз удерживались в милиции, 11-й отдел Пятого управления КГБ в срочном порядке решал, как быть дальше. Время шло, милиция торопила, требуя решения: что делать с задержанными — больше трех часов при административном задержании нельзя было по закону удерживать людей; следовало либо освободить их, либо возбудить уголовное дело. Дела не было. Надо было Гулько отпускать. Отпускать не хотелось. Дали команду милиции перевозить задержанных из одного отделения в другое, каждый раз вновь оформляя административное задержание. Прием был сомнительный, но позволял выиграть время. Последним пунктом перевозки супругов Гулько в тот день стало 43-е отделение милиции на Красной Пресне. Здесь с ними провели очередную профилактическую беседу о бессмысленности демонстраций протеста и отпустили.

Приблизительно через две недели Гулько и его семье была вручена повестка о вызове в ОВИР. До долгожданного выезда из СССР оставались считанные дни. Противник сдался. Гулько выиграл партию.

Б. Гулько

Написание буквы «ламед»
(КГБ и я)

Моей сестре Бэлле,
верному спутнику на путях
обретения свободы.

1. Первые встречи

Мой первый контакт с КГБ состоялся, вероятно, еще до моего рождения. Я родился в начале 1947 года в Германии и не думаю, чтобы беременность жены офицера советских оккупационных войск осталась бы не зарегистрированной в анналах КГБ. Наша же очная встреча состоялась летом 1966 года.

Причиной очной встречи стало предстоящее пересечение мной государственной границы СССР. Советская сборная отправлялась на Всемирную студенческую Олимпиаду в Швецию. Накануне отъезда нас доставили в здание ЦК КПСС на Старой площади. Там с нами побеседовали и велели прочесть инструкцию с грифом секретности о том, как советские граждане должны себя вести в капиталистической стране. Для социалистических стран у них была другая инструкция. Согласившись прочесть секретную инструкцию, я, таким образом, дал обещание КГБ ее не разглашать. Сейчас я ее, может быть, и разгласил бы, да не помню, о чем там говорилось.

Впрочем, я наверняка эту инструкцию сразу же и нарушил. Сперва на Олимпиаде я потихоньку прочел книжку незадолго до того заточенного советскими властями Андрея Синявского «Любимов», которую мне дал студент-славист Рэдик Энд, игравший за команду Швеции. Книжка мне показалась посредственной. Куда больше мне понравилась повесть подельника Синявского Юлия

Даниэля «Говорит Москва», перепечатанная на папиросной бумаге и читанная мной уже по возвращении в Москву. Наступали времена самиздата, когда иные читали больше литературы, напечатанной на пишущей машинке, чем отпечатанной в типографии. Странную картину представляли в ту пору книжные магазины в СССР: полки ломились от книг, для чтения непригодных.

Я немного улучшил ситуацию с книгами на родине, потихоньку ввезя в Советский Союз купленного в Стокгольме «Доктора Живаго», отпечатанного на тончайшей бумаге и изданного в мягком переплете.

Со времени той первой поездки за границу мои выезды позволяли несколько улучшить круг чтения для меня и моих друзей.

Как-то осенью 1976 года команда спортобщества «Буревестник» возвращалась с матча кубка европейских чемпионов из маленького шведского городка Лунда, и мы провели пару часов в Копенгагене. В большом книжном магазине в центре города я спросил продавщицу: где в округе можно купить книги на русском языке? Датская старушка, рассматривавшая что-то рядом, обернулась ко мне и ехидно посоветовала: в России. Это была смешная шутка. В книжных магазинах в России в ту пору можно было купить только идеологическую дребедень.

В студенческие годы я не раз пересекал государственную границу СССР, отправляясь с командой Московского университета на шахматные матчи в страны советского блока. Работники КГБ благополучно пропускали меня в обе стороны. Конечно, драматичным было не само пересечение границы, а утверждение характеристики: «политически грамотен, морально устойчив». В МГУ, где я сначала учился, а потом работал, этот процесс проходил обычно без проблем. Кроме одного случая.

В 1972 году я уже закончил учебу на факультете психологии и работал на факультете биологии. Шахматная команда МГУ, в те годы довольно сильная, должна была ехать на матчи в ГДР. Я принес характеристику на подпись секретарю парторганизации отделения (коммунисты биофака были поделены зачем-то на два отделения) научному сотруднику кафедры биохимии Юрченко.

Подпись секретаря парторганизации была необходима для выезда за границу даже для не члена партии.

Юрченко этот имел несчастие приходиться сыном от первого брака Николаю Бухарину и хорошо знал, что может приключиться неожиданно с человеком, если тот недостаточно боится. Скажем, если я попрошу политического убежища в ГДР, ему не поздоровится. Поэтому Юрченко боялся достаточно. Вместо того чтобы подписать бумажку, сын Любимца Партии соврал мне: «Приходите завтра к семи, и я подпишу».

Назавтра в семь меня отвели в какую-то приемную и неожиданно ввели в большой зал, в котором битком сидели коммунисты и решали свои коммунистические дела. Шло собрание.

— Младший научный сотрудник кафедры высшей нервной деятельности Борис Гулько собирается ехать с шахматной командой в Германскую Демократическую Республику и просит утвердить его характеристику, — объявил Юрченко. — Есть ли к нему вопросы?

— Когда вы последний раз были на комсомольском собрании? — немедленно выскочила какая-то коммунистическая старуха.

Я был возмущен коварством Юрченко. И играть в их идиотские идеологические игры желания не имел. Но, с другой стороны, спрашивает пожилой человек. Я вежливо ответил ей:

— Число и месяц я не помню, но помню, что был четверг.

Мне немедленно предложили выйти, а потом Юрченко честно пожаловался мне: «Я не знаю, подписывать ли Вам характеристику».

Я посоветовал ему позвонить в партком университета и спросить одного из секретарей парткома Шабанова, что делать. Я бил наверняка. Шабанов с химического факультета был шахматистом, покровительствовал шахматам и знал, что сильная команда МГУ без первого номера сразу станет слабой. В ГДР я поехал.

К тому времени в моем досье в КГБ значилось наверняка не только знакомство с инструкцией для выезжающих. Для становления моего мировоззрения, как и для многих интеллигентов в СССР, определяющим стал

1968 год. Для меня, вероятно, больше чем для других, так как я оказался свидетелем событий — оккупации Чехословакии летом того года советскими войсками.

Спорткомитет Москвы направил меня тогда на турнир в Хавиржов, небольшой городок около Остравы, одного из главных индустриальных центров Чехословакии. Получение характеристики в МГУ было чистой мукой. Я таскался каждый день на 9-й этаж, отведенный под партком. Меня отфутболивали. В Чехословакии происходило нечто неведомое мне, и студентов, как я узнал позже, решено было туда не пускать.

Когда я совсем отчаялся получить характеристику, состоялась «историческая» Братиславская встреча первых секретарей компартий Брежнева и Дубчека. «Дружба на вечные времена», «нет разногласий», «братские народы...» — Дубчек должен был скорее поверить гадюке подколодной, чем Брежневу...

Мне позвонил помощник секретаря парткома МГУ Михаила Михайловича Маслова. Полковник Маслов был до того начальником военной кафедры гуманитарных факультетов, а выйдя на пенсию, пересел в кабинет секретаря парткома. Я замечал, что профессионалы в своих областях, даже оказавшись в партийных креслах, могли оставаться более-менее нормальными людьми, профессиональные же партийцы...

Маслов подписал мне характеристику, и с 15 по 25 августа 1968 года я пробыл в Чехословакии.

В Хавиржове, кроме нашего международного, игралось еще два побочных турнира. И все чехи, включая словаков, хотели побеседовать со мной как с представителем «братского русского народа». Напомню, что именно Чехословакия была когда-то родиной панславянских идей.

Я был поражен. Оказывается, можно любить свою страну. К ее лидерам относиться не как к пугалам огородным, а как к носителям идей. «Пойми, — объяснял мне профсоюзный деятель крупного остравского завода, — мы не против социализма. Но мы хотим социализм с человеческим лицом».

На социализм мне было, строго говоря, плевать. Шахматы — игра капиталистическая. Победитель получает очко, а проигравший только ноль. Никакой уравниловки.

Но с человеческим лицом! Не с брежневским, не с хрущевским, а с человеческим! «Неужели такое возможно и в СССР?» — думал я. Может быть, если бы советский Дубчек — Горбачев — пришел к власти в 1968 году, история развилась бы иначе. Нравственная составляющая общества — диссидентство — еще не было раздавлено, замучено по психушкам, тюрьмам, выпихнуто в эмиграцию. Когда через 18 лет свобода пришла в Россию, человеческого лица для общества так и не нашлось...

История двинулась, увы, в ином направлении. 21 августа я проснулся от гула самолетов. Советская армия оккупировала Чехословакию. По радио и по телевидению передавали заявление правительства. А потом живьем репортаж о захвате редакций радио и телевидения советскими войсками.

Я испытывал жгучий стыд за свою страну. «Где у вас набирают в партизаны?» — с ужасом от своего намерения спросил я. «У нас нет партизан», — успокоили меня чехи.

Пришлось возвращаться домой. Двое польских шахматистов довезли меня на своей машине до польского города Катовице, и оттуда я поехал поездом на Варшаву.

— Что у вас происходит? — спросил я свою польскую соседку по купе.

— Выгоняют евреев, — объяснила она. — Увольняют с работы и объявили, что только в течение трех месяцев будут выпускать за границу. Вот все и уезжают.

Неспокойным был 68-й год. О польском решении еврейского вопроса я вспомнил в долгие семь лет отказа. Что для Польши — кошмар, для Советского Союза было бы мечтой.

Уезжал я в Чехословакию скептиком: с одной стороны, какое никакое, а научное мировоззрение, с другой — олицетворяющие это мировоззрение вожди — косноязычные невежи. Вернулся же домой антисоветчиком. Прав был по-своему Сталин — опустил «железный занавес», и никто не замечает, что живет в тюрьме.

Интерес к чешским событиям был значительным. Как-то после лекции на нашем факультете психологии дверь в аудиторию плотно закрыли, и я рассказал всему курсу о своих чехословацких впечатлениях. Мы знали, что в каждой группе на гуманитарных факультетах МГУ должно было быть по стукачу. Так что несколько отчетов легло в мою папку в КГБ.

Вскоре на Красной площади состоялась демонстрация группы Павла Литвинова. Семь человек протестовали против оккупации Чехословакии. Люди заплатили годами свободы, пытаясь спасти честь своей страны.

Я потолкался в коридорах Верховного Суда СССР среди диссидентов и стукачей во время слушаний по апелляции по делу группы Литвинова. Вот еще одна страница в моем деле.

Впрочем, слова «диссидент» в русском языке тогда еще не было. Будущие диссиденты называли себя тогда Демократическим движением.

Шахматное начальство меня, конечно, не любило. В чем была причина — в моем еврействе или в гэбэшном досье? Конечно, и в том и в другом. Шахматы, как и всякий спорт, были связаны с поездками за границу. А граница принадлежала государственной безопасности. Так что Спорткомитет СССР был в известной степени подотделом КГБ. Говоря высоким стилем, государственная граница проходила по шахматной доске.

Я к этой их нелюбви относился спокойно. Если мы ищем взаимности в любви, почему отказывать во взаимности неприязни? А я не любил всякое советское, партийное и гэбэшное начальство. Хоть «выездным» в те годы я был. Видимо, существенным было то, что в 19 лет я съездил в Швецию и, дуралей, вернулся. Для изменения моего статуса на «невыездной» требовался, наверное, существенный импульс.

2. Гроссмейстерские будни

В 1975 году я стал обладателем редкого титула — гроссмейстер СССР. Строго говоря, этот титул автоматически присваивали каждому шахматисту, получившему титул международный гроссмейстер. А международным можно было стать только в международных турнирах. Допускал в них или посылал на них за границу только Спорткомитет...

Я в 1975 году поделил победу в Зональном турнире СССР первенства мира и поделил второе место в первенстве СССР — сильнейшем турнире в мире в те годы. Эти достижения были несравненно выше, чем приличный результат в заурядном международном турнире, достаточный для звания международный гроссмейстер. Так мне удалось приобрести титул гроссмейстер СССР без добавления международный.

Мое достижение по неучастию в международных турнирах было превзойдено через пять лет. Лева Псахис в 1980 году стал чемпионом СССР. А в 1981 году он, оставаясь мастером, вновь победил в чемпионате СССР вместе с молодым Гариком Каспаровым, не получив к тому времени даже причитавшегося ему титула гроссмейстер СССР. Не было такой несправедливости, которую тогдашние начальники не смогли бы превзойти.

Окончательно меня поссорил с КГБ Виктор Львович Корчной. В июле 1976 года, в то время, когда я играл в межзональном турнире первенства мира в швейцарском городе Биль, в один из дней в газетах появились фотографии Корчного с неоригинальной для тех времен подписью «Еще один, который выбрал свободу». Надо сказать, что бегство советских людей, попавших за границу, было в те времена не редкостью. Труднее было объяснить, чего ради ты вернулся? Была популярна шутка: уехал за границу Большой театр, а вернулся Малый.

После бегства Корчного в моей гостиничной комнате в Биле все вечера до окончания турнира сидел кто-то из гэбэшной части нашей делегации — «врачиха» Алла Карповна или полковник юстиции в отставке Батуринский. Конечно, они не помешали бы мне, если бы я тоже решил остаться. Но я не решил.

Одна из причин этого — привязанность к семье. Фактически, когда ты выезжал за границу, члены семьи оставались в Союзе в качестве заложников. И другая — мой неоправданный оптимизм. Я считал, что когда я надумаю эмигрировать, то подам документы и уеду. Ничему не научили меня книги Авторханова и Солженицына. Какая наивность — доверять советским законам!

Через два месяца после побега Корчного спортивное руководство или, кто его знает какое — партийное, гэбэшное, — решило лишить советских гроссмейстеров статуса «вне политики». Нам всем предложили подписать филиппику против Корчного. Конечно, и до этого в шахматах было достаточно идеологии. Среди шахматистов были и идейный коммунист Ботвинник, и конъюнктурный Карпов, во времена которого идейных коммунистов уже почти не водилось.

Были, конечно, и гроссмейстеры-стукачи. Зато существовала и ниша, куда могли забиться аполитичные или антисоветски настроенные шахматисты. Недаром шахматы привлекали в те годы стольких евреев — нежелательных персонажей в советском истеблишменте.

И вот, нас из этой ниши аполитичности решили выковырять. Не подпишешь письмо против Корчного, — ты и против партии, и против КГБ.

Из играющих гроссмейстеров не подписали письмо Давид Ионович Бронштейн и я. Для гениального Бронштейна это неподписание стало концом его блестящей карьеры. Ему закрыли выезд за границу, и в международные турниры Бронштейн вернулся лишь лет 15 спустя, в годы перестройки, когда ему было уже сильно за 60 и когда у «льва», как Бронштейн напишет сам о себе в своей книге, окажутся сточенными клыки и когти и останется только чемпионский хвост.

Не подписал письмо живший уже во Франции Борис Спасский. Его подпись под таким письмом выглядела бы не менее странно, чем его нынешняя подпись под коллективным письмом с призывом запретить в России еврейские организации и религию...

И не подписал письмо уже оставивший турнирную практику и написавший свое личное письмо Михаил Ботвинник.

Конечно, остальные гроссмейстеры наверняка подписывали то письмо с омерзением, кроме разве что личного врага Корчного — Тиграна Петросяна.

Я в те годы строго придерживался принципа, который сформулировал для себя так: я могу не говорить все то, что думаю, но я не должен говорить то, что не думаю. Я считал, что речь здесь идет о сохранности души. Конечно, после истории с письмом против Корчного меня немедленно вычеркнули из поездки на турнир в Восточную

Германию и из престижных турниров внутри СССР. Но сохранность души того стоила.

В конце 1977 года я бился за место в советских шахматах на первенстве СССР в Ленинграде. Начиная со старта, я уверенно лидировал. Но оказалось, что кроме 15 соперников, у меня есть еще один. Назовите его КГБ или Партия, если вы различаете их. Персонифицировался этот противник в лице шефа шахмат, начальника Управления шахмат Спорткомитета СССР полковника Батуринского. Для него чемпион СССР — «неподписант» — означало огрех в работе. Но что он мог сделать?

На финише турнира я играл с Кареном Григоряном, талантливым и неуравновешенным шахматистом, неудачно выступавшим в том чемпионате. Через несколько лет Карен, как до этого его брат-близнец Левон, тоже талантливый шахматист, покончит с собой.

В начале партии Карен неожиданно предложил мне ничью, а после того как я отказался, играл необычайно сильно. В конце партии я сам еле сделал ничью.

После окончания игры Карен мне рассказал, что в утро того дня он получил неожиданный звонок из Москвы от начальника Управления шахмат. «С кем играешь?» — начал беседу Батуринский, а потом посоветовал выложиться, поскольку это «очень важно» для Карена.

О такой же беседе с Батуринским перед нашей партией предпоследнего тура рассказал мне позже Женя Свешников. И он тоже после такой беседы предложил мне перед партией ничью, а после моего отказа сделал ее.

Эта история показывает лишний раз бездарность партийного руководства спортом. Человек не может бежать быстрее, кидать дальше или думать лучше, потому что это важно для торжества идеологии, которую он к тому же может и не разделять. Можно, конечно, приказать кому-то проиграть, но нельзя приказать выиграть.

Занятная история была рассказана мне Иосифом Дорфманом. Батуринский, он к тому времени приехал на турнир в Ленинград, имел беседу с Дорфманом перед предпоследним туром и сообщил тому, что, по мнению авторитетов, Дорфман имеет наилучшие шансы предотвратить мою победу в турнире. После этого Иосиф отправился играть с Александром Кочиевым.

В начале партии Дорфман получил обещающую позицию. «Ну вот, играет невыгодный вариант. С ним, видно, тоже поговорили», — проносится в голове Дорфмана. Перевес его, кажется, нарастает. Может быть, Иосиф рано успокоился. Неожиданно Кочиев нашел блестящую идею, пожертвовал ладью, и Дорфман еле спасся, найдя единственный путь к ничьей.

«Ты не представляешь себе, что они делали, чтобы не допустить твоей победы», — округлив глаза, говорил мне позже Дорфман. Но кое-что я себе представлял.

В последнем туре я сделал ничью с самым опасным своим преследователем Тиграном Петросяном и на следующий день принимал поздравления с победой в турнире. Тут пришла весть, что Дорфман выиграл худшую позицию, доигрывая отложенную партию последнего тура, и догнал меня. Что ж, по положению о чемпионате в случае дележа первых двух мест чемпионами становятся оба. Но на закрытии турнира Батуринский неожиданно объявляет, что по решению Спорткомитета СССР будет проведен матч между двумя победителями за звание чемпиона. Как будто положения о чемпионате вообще не было. Я не возражал — бесчестность системы казалась естественной.

Неожиданной по советским меркам стала критика нарушения регламента чемпионата в большом интервью Михаила Таля, опубликованном в газете «Труд». В те времена критиковать правительственные органы, такие как Спорткомитет СССР, не полагалось. Меня интервью Таля тронуло, как попытка поддержать коллег шахматистом, не понаслышке знающим, что такое несправедливость.

Таль вообще симпатизировал мне. Когда он упустил выигрыш в партии с Петросяном в третьем с конца туре чемпионата, Миша извинился передо мной, что не придержал моего конкурента. Конечно, он немного лукавил. Выиграй Миша ту партию, моим главным конкурентом стал бы он сам.

Матч с Дорфманом проходил в Москве, в Центральном доме Советской армии, в холле, в котором обычно перед похоронами лежали в гробах умершие советские маршалы. На стенах холла я обнаружил картины Левитана, Шишкина, других русских классиков. Картины остались на стенах, наверное, с тех дореволюционных времен, когда здание это занимал Екатерининский институт благородных девиц.

Матч проходил в нервной борьбе, с кучей ошибок и кончился вничью. Думаю, на нас обоих давила несправедливость назначения этого матча. Перед дополнительными партиями, которые должны были выявить одного победителя, мы с Дорфманом взбунтовались и отправились в Спорткомитет с протестом.

Идея бунта, впрочем, принадлежала не нам. Перед последней партией матча известный тренер Борис Постовский случайно встретил на улице тренера Дорфмана Батурина и посоветовал тому, если матч закончится ничьей, идти в Спорткомитет жаловаться. А потом позвонил мне и повторил свой совет.

Итак, мы отправились к заместителю председателя Спорткомитета Виктору Ивонину, главенствовавшему над шахматами. Нас сразу же ввели в его кабинет, как будто бы нас ждали. В кабинете у Ивонина неожиданно оказался и председатель Спорткомитета Сергей Павлов. Бывший руководитель комсомола в СССР и некогда конкурент Андропова на должность шефа КГБ, Павлов показался мне жизнерадостным и плутоватым человеком — противоположность высохшему кагэбэшно-партийному стручку Ивонину. Не выслушав толком наши претензии, Павлов удивил нас вопросом: «Почему вы раньше не жаловались?» Мол, они, естественно, пытаются нас нажулить, а для нас естественно отбиваться.

Похоже, Павлов был готов к нашему визиту, немедленно распорядился прекратить матч и утвердил нас обоих чемпионами СССР 1977 года. Возможно, прослушиватели моего или дорфмановского телефона предупредили спорткомитетское начальство, и начальство приняло это решение еще до нашего прихода.

В следующий раз я увидел Павлова по телевидению во время всенародной неискренней скорби по умершему Брежневу. Павлов был одет в черное, и на фоне всеобщего лицемерия, кажется, действительно скорбел. «Леонид Ильич был великим человеком, — сообщил Павлов телезрителям, — он умел прощать ошибки». Павлов знал, о чем говорит: сменщик Брежнева Андропов ошибки не прощал и, воцарившись, немедленно отправил Павлова послом в какое-то место, которое и на карте-то не сыщешь. Какие ошибки Андропов не простил Павлову, я не знаю, — то ли старую конкуренцию за пост шефа КГБ, то ли загулы с комсомолками и спортсменками в гостинице «Юность», о которых ходила глухая молва.

Следующее мое тесное общение с гэбэшниками произошло осенью того же 1978 года (матч с Дорфманом игрался в начале 1978 года) на шахматной Олимпиаде в Буэнос-Айресе. В команду я попал почти случайно. За женскую команду должна была играть моя жена, Аня Ахшарумова, и нас обоих в Аргентину, я догадывался, не пустят. Но к Олимпиаде Аня прилично забеременела, и меня взяли.

Не существовало ничего унизительнее, чем быть членом большой советской делегации за границей, то есть быть «советским» среди нормальных людей. Я бывал уже к тому моменту в шахматных поездках по миру. Но обычно моими спутниками были коллеги. Даже на межзональном турнире в Швейцарии в 1976 году большую группу шахматистов разбавляли лишь по-своему рациональный полковник юстиции Виктор Батуринский и тихая стукачка, врач Алла Карповна. В Буэнос-Айресе же мы были поровну — десять участников мужской и женской команд в делегации из двадцати человек. Тут был и переводчик, не знавший испанского, и доктор, который на меня «настучит», но только двумя годами позже. Хоть, конечно, «стучал» он и в Аргентине.

Тренер женской команды Котков велел своим подопечным гостиницу не покидать, поскольку «город полон бешеных собак». Так ему было бы легче контролировать шахматисток. Впрочем, в середине Олимпиады проблема тренеров решилась сама собой. У Коткова и у тренера мужской команды Антошина начался коллективный запой, и мы их почти не видели.

В общем, в Буэнос-Айресе я решил: хочу быть нормальным человеком. Хочу ездить на турниры вне зависимости от беременности своей жены и милости Спорткомитета. Не хочу чувствовать постоянный стыд за свою страну. Не хочу, чтобы мой подоходный налог и валюта, которую я должен был сдавать после турниров в Спорткомитет, шли на содержание ГУЛАГа и поддержку террористов по миру. Я решил: возвращаюсь в Москву и начинаем с женой процесс эмиграции.

Кстати о валюте. В последний мой день в Буэнос-Айресе произошел странный случай. Организаторы нас в тот день уже не кормили. Я зашел в банк, чтобы поменять десять долларов, выданные мне в Москве, и потратить полученные песо на знаменитый аргентинский бифштекс.

Купюра, врученная мной клерку, вызвала у того нешуточный интерес. Он удалился с ней и, вернувшись через некоторое время, объяснил мне, что купюра моя вроде бы неплохая. Но на других десятидолларовых купюрах над картинкой американского министерства финансов написано «In God we trust», на моей же — не написано. У меня нашлась другая, религиозная версия десяти долларов, и голодным я не остался. Но до сих пор не пойму — неужели на Скатертном персулке в Москве, где размещался тогда Спорткомитет СССР, рисовали доллары? Трудно поверить, что для меня лично казначейство США отпечатало в одном экземпляре атеистические десять долларов.

3. Игра с КГБ. Дебют

Сейчас мне трудно сказать, кто из нас определил, что пора уезжать. Я старше Ани на десять лет и, конечно, был умудреннее жизнью. Но помню, как однажды Аня мне сказала: «Ты не раз излагал, что в СССР жить не следует. Так, когда же мы будем подавать документы на эмиграцию?» Одно дело понимать, другое дело сказать: «Момент пришел».

Когда я вернулся с Олимпиады, мы заказали приглашение из Израиля от мифических родственников — необходимая в те времена процедура. Первого мая вызов пришел, и пятнадцатого мая 1979 года, в годовщину дня провозглашения независимости государства Израиль, мы подали документы в ОВИР Ждановского района Москвы с прошением отпустить нас в Израиль. Начался удивительный период нашей жизни — семь лет борьбы за выезд.

Прошение об эмиграции двух недавних чемпионов СССР наделало немало шума в советском шахматном мире. Аня впервые участвовала в женском первенстве СССР в 1976 году. И несмотря на то что в турнире играли чемпионка мира Нона Гаприндашвили и сменившая ее в 1978 году в этом высоком звании Майа Чибурданидзе, а также все остальные сильнейшие шахматистки мира, Аня выиграла то первенство. Имевший несколько публичных выступлений в те дни экс-чемпион мира Михаил Ботвинник раз за разом повторял, что если мужское чемпионство мира надежно закреплено за Советским Союзом Анатолием Карповым и Гарри Каспаровым, то женское может уйти за границу вместе с Аней Ахшарумовой. Ботвинник был шахматным наставником Ани и высоко ценил ее талант. Список своих лучших учеников он всегда, даже в годы нашего отказа, начинал почему-то не с Карпова и Каспарова, а с нее.

Мое имя часто упоминалось вместе с именем Корчного. Говорили, что, выехав за границу, я помогу Корчному отнять титул чемпиона мира у Карпова. Это наше предполагаемое сотрудничество подтверждал и Корчной. В одном из его интервью, о котором я слышал по какой-то заграничной радиостанции, Виктор заявил, что к нему не выпускают из СССР его тренера Бориса Гулько. И хотя никаких переговоров о сотрудничестве с Корчным я не вел, такое заявление наверняка было замечено и Спорткомитетом, и Карповым.

Анатолий Карпов был в те времена необыкновенно влиятелен. Он был уникальным явлением советской жизни, по-настоящему выдающейся личностью в творческой области, преданной коммунистической и гэбэшной номенклатуре. Хороший писатель был по определению в оппозиции к власти. Преданными были лишь отребье вроде Сафронова или Кочетова. Был еще, правда, пропьянствовавший последние несколько десятилетий своей жизни нобелевский лауреат Михаил Шолохов. Да и то его авторство «Тихого Дона», напечатанного в двадцатые годы, оспаривается до сего дня.

Великий композитор советского периода Дмитрий Шостакович при жизни принимал лауреатства и депутатства, но посмертно оставил такие воспоминания, что хоть откапывай и отправляй в психушку. Лицом научного мира в ту пору был академик Андрей Сахаров. И лишь в шахматах советской номенклатуре удалось вырастить то, для чего, собственно, устраивалась революция 1917 года. К тому же этнически Карпов был правильного происхождения по сравнению, скажем, с идейным коммунистом евреем Ботвинником. Да и преданный совсем не то же, что идейный.

В чем выражалась преданность Карпова системе? В любой политической ситуации Карпов знал, какое заявление является правильным. Помню его интервью того периода журналу «Студенческий меридиан». Карпова спросили, какое событие в его жизни является самым памятным. Любой лояльный советский гражданин ответил бы, конечно же, что это не первый поцелуй или не чемпионство мира по шахматам (если бы этот лояльный гражданин был бы чемпионом мира), а встреча с Леонидом Ильичом Брежневым, если бы, опять же, этот гипотетический гражданин имел бы такую встречу. Карпов так и начал. Но в отличие от заурядного советского человека Карпов на этом не остановился и продолжил: «Было и другое памятное событие в моей жизни — принятие Новой Советской Конституции 1977 года». И будто бы даже аполитичные иностранные гроссмейстеры подходили к Карпову — а был он во время принятия конституции в Каракасе на международном турнире, — и с волнением спрашивали его: «ну как, приняли у вас Новую Конституцию?» То есть, как настоящий человек системы, Карпов был готов демонстрировать не обычное советское лицемерие, а возвести его в квадрат или даже в куб.

В круг друзей и покровителей Карпова входили в те времена шеф комсомола, а позже начальник отдела агитации и пропаганды ЦК КПСС Тяжельников и загадочный начальник из КГБ, прозванный в кругу Карпова Седой, о котором я слышал от общавшихся с Карповым шахматистов.

Кроме депутатств и членств, Карпов в те годы стал главой Советского Фонда мира — богатейшей организации, через которую КГБ направлял деньги нужным получателям за границей. Одну из суббот, году в 1973 или в 1974, все граждане Советского Союза должны были отработать в пользу этого Фонда мира. Так что, было что послать Арафату. Эту организацию Карпов возглавляет и поныне.

Сейчас, когда дружба с КГБ естественно переходит в денежные знаки, по сообщению прессы, компания «Петромир», единоличным владельцем которой является Анатолий Карпов, получила кусок Сибири с 43 триллионами кубических метров натурального газа под ним. Доход от сделки эксперты оценили для Карпова в два миллиарда долларов.

Иметь интересы, отличные от карповских, было в ту пору крупным невезением. Я осознал это позже. А то, что вопрос нашего предполагаемого отъезда входит в круг интересов Карпова, стало известно вскоре.

Примерно через месяц после нашей подачи документов на выезд, во второй половине июня 1979 года, мне сообщили, что со мной хочет поговорить менеджер Карпова и его ближайший друг и доверенное лицо Алик Бах. Сегодня Александр Григорьевич Бах — исполнительный директор Российской шахматной федерации.

Я назначил время, и Бах прибыл к нам. Он передал мне предложение Карпова: если я заберу назад прошение об эмиграции, Карпов обеспечит, что начальство будет относиться ко мне «как к Романишину». Бах даже назвал первый международный турнир, на который я отправлюсь, если «возьму свой ход назад». Это был бы самый престижный в те годы турнир — Тилбург — в Голландии.

Львовянин Олег Романишин, которого помянул Бах, действительно пользовался благосклонностью спортивного начальства и часто ездил на интересные турниры. Я полагал, что как первый сильный гроссмейстер-украинец, он имел поддержку ЦК компартии Украины.

Невысказанный смысл карповского предложения заключался в том, что я в случае принятия его предложения становился бы полностью зависим от всесильного чемпиона. Тремя годами ранее, осенью 1976 года, Бах уже передавал мне предложение Карпова: «Толе нравятся твои (шахматные) идеи, и он хотел бы поработать с тобой». Я радостно ответил: «Мне тоже нравятся мои идеи. Поэтому с Карповым работать не хочу». Забрав назад заявление, я бы не имел другого пути, как в многолюдную тренерскую группу Карпова.

Тренерская группа Карпова — беспрецедентное явление в истории шахмат. В нее входили величайшие шахматисты мира — Михаил Таль, Лев Полугаевский, Ефим Геллер, Тигран Петросян (до ссоры с Карповым в 1976 году) и многие другие гроссмейстеры. Предполагалось, что помощь Карпову — это некий патриотический долг советских гроссмейстеров, что Карпов имеет «право первой ночи» на дебютные идеи других шахматистов. И чемпион старался строго блюсти это «право». Каспаров описывает в пятом томе своего монументального труда о чемпионах мира, как во время матча на первенство мира с Корчным в Мерано в 1981 году, когда «советское руководство... объявило всеобщую мобилизацию» гроссмейстеров, «Карпов звонил Крогиусу (начальнику Управления шахмат, сменившему Батуринского. — *Б. Г.*) и интересовался, не прислал ли что-нибудь из Баку Каспаров...» От Каспарова требовали предоставить Карпову свои анализы, поскольку, как он пишет: «Мне было заявлено, что это мой патриотический долг...»

Конечно, «патриотизм» помощников Карпова был не бескорыстен. Карпов расплачивался самой ценной для шахматистов валютой — поездками на турниры. Самые заслуженные помощники ездили на турниры с Карповым, что означало — на самые престижные.

Правда, эта самая высокая «честь» имела и дополнительную плату. Почему-то тренеры, как правило, проигрывали Карпову. И некоторые из этих поражений вызывали недоумение. Так, в Тилбурге в 1983 году Полугаевский был обвинен Спасским в том, что умышленно проиграл при доигрывании Карпову ничейную позицию. Разыграв эту партию, можно понять, почему возникли такие подозрения.

В первенстве СССР 1976 года Карпов обогнал своего тренера Юрия Балашова только потому, что Балашов при начале доигрывания их отложенной партии после анализа немедленно подставил под удар своего ферзя...

Конечно, вступать в столь сомнительный «Клуб любителей Карпова» у меня никакого желания не было, и я отказал Баху. Я подавал заявление на выезд для того, чтобы стать свободным, а не для того, чтобы еще больше закабалиться.

Через несколько дней после визита Баха я узнал, какая инстанция стоит за предложением Карпова. В квартире моих родителей (своей квартиры у нас тогда не было, и мы с женой и с грудным сыном жили в двухкомнатной квартире вместе с родителями и с моей старшей сестрой Бэллой) раздался телефонный звонок. Меня приглашали для беседы в КГБ. Я с любопытством отправился на Лубянку.

В подъезде меня встретил низкорослый тип и отвез на один из верхних этажей, предназначенный для начальников. В просторном кабинете моим собеседником оказался человек интеллигентного вида и с интеллигентной речью. Я решил, что сам он в пытках участия не принимает.

Владелец кабинета в целом пересказал мне предложение Баха, не упомянув, впрочем, Романишина как эталон благосклонности. Запомнились со значением сказанные слова, смысл которых: если я передумаю и заберу назад заявление, то от его организации я никак зависеть не буду. Думаю, для гражданина СССР — это предложение величайшей благосклонности. Но и оно не переубедило меня. Тогда человек КГБ пригрозил: «Мы можем не отпустить вас». Я убежденно ответил: «Отпустите». Правы оказались мы оба — они не отпускали, но все же отпустили.

В завершение беседы мой собеседник, решив, что после визита Баха мне дали недостаточно времени для размышлений, сказал, что если я передумаю, я могу всегда позвонить в КГБ ему лично. Я только должен сказать, что хочу говорить с полковником Абрамовым.

Это имя я встретил через несколько лет в книге Владимира Буковского «И возвращается ветер». Полковник Абрамов, а это очень высокий чин для КГБ, руководил разгоном демонстрации на Пушкинской площади и арестами диссидентов и самого Буковского. Так что со мной почему-то беседовал человек из отдела борьбы с диссидентами, а не из еврейского отдела, занимавшегося желающими уехать в Израиль.

После нашей подачи документов состоялось еще несколько бесед с разным начальством. Беседа с Батуринским, тогда еще начальником отдела шахмат, носила формальный характер. Умный мужик, он понимал, что я «ход назад» не возьму. Занятнее были беседы с председателем федерации шахмат Москвы профессором чего-то политического Федором Константиновым. По слухам, профессор писал речи самому идеологу партии Суслову. Константинов беседовал с нами по отдельности.

Аня, как мы договорились, все валила на меня — мол, муж хочет уезжать. «А вы разведитесь», — предложил Константинов. Эта идея — развести нас — осталась в каких-то гэбэшных досье, и через несколько лет попытка была предпринята. Я позже вернусь к этому.

Первоначально отношение ко мне и к Ане у спортивно-партийно-гебистского начальства было различным. Ко мне — не только как к подавшему на эмиграцию, то есть как к изменнику, но еще и как к еврею и к диссиденту. Аня, имеющая еврейку маму и русского отца, была записана в паспорте русской, как дети многих начальников, женатых на еврейках, да и самого Андропова, имевшего еврейку маму. Так что Аня числилась у них, видимо, попавшей в лапы к сионистам-евреям.

Беседа со мной носила более концептуальный характер:

— Как же вы планируете переехать в государство, враждебное СССР? — стыдил меня профессор.

— Идеологических проблем для себя я не вижу, — возражал я. — Если я захочу в Израиле заняться политикой, что вряд ли, и захочу вступить в Коммунистическую партию, что еще менее вероятно, к моим услугам в Израиле будут аж две коммунистические партии. В странах же, дружественных Советскому Союзу, в Египте и в Сирии, коммунистические партии запрещены, а коммунисты гниют по тюрьмам.

— Тут нужно смотреть диалектически, куда движутся страны, — возразил мне Константинов. — Египет и Сирия движутся в сторону прогресса.

Я почувствовал, что спичрайтера Суслова мне не побить, и закончил беседу. Он владел непобедимым идеологическим оружием советского руководства — маразмом как методом политического мышления.

В те же дни нас пригласил к себе Ботвинник. Как я уже писал, Аня была его любимой ученицей. Великий шахматист принял нас в своем кабинете. Я знал из опыта, что единственной формой общения, которой владел Ботвинник, был монолог. Впрочем, я и пришел послушать Ботвинника, а не уговаривать его уезжать.

— Советские люди — лучшие в мире, и с этим, я надеюсь, вы спорить не станете, — начал Ботвинник и строго посмотрел на нас. — А потому, если вы согласитесь остаться, я готов пойти в ЦК КПСС и добиться, чтобы к вам, — Ботвинник обратился ко мне, — относились так же, как к Романишину, — дался же им всем Романишин, — ибо, если так рассуждать, — Ботвинник не объяснил как, — то я еще в 1926 году должен был остаться в Швеции.

Дома я проверил по книге — в 1926 году, в возрасте 14 лет, Ботвинник выезжал с командой металлистов в Швецию и, видимо, всю жизнь возвращался к мысли, правильно ли он сделал, что вернулся в Ленинград. Проникнутый осознанием собственного величия, Ботвинник считал свою жизнь образцовой, и если он не избежал жизни среди «лучших в мире людей», то и мы не должны. Патриарх, как часто называли Ботвинника шахматисты, продолжал:

— Я знаю, что у вас есть сын. — Идейный коммунист Ботвинник подразумевал, что и мы знаем, что расти евреем в России — не лучшая участь, и дал полушутливый совет, который, конечно же, заготовил заранее: — Запишите его на фамилию матери. Я и сам бы так поступил, да у моей мамы была фамилия Рабинович.

Далее Ботвинник стал объяснять, что, живя в Советском Союзе, все возникающие проблемы решить можно. Правда, его объяснения звучали не как уговоры остаться, а наоборот, как подтверждение, что, конечно же, нужно уезжать, бежать, спасаться. Ботвинник рассказывал, что написал книгу о своей жизни. Цензура вырезала половину. Десять лет Ботвинник бился, и книга вышла в виде близком к задуманному. Это притом, что Ботвинник был идейным коммунистом и членом партии, и сам прекрасно знал, о чем писать нельзя.

Ботвинник создал с сотрудниками компьютерную шахматную программу. В СССР подходящего компьютера, чтобы опробовать ее, не было. В Америке выделили грант в миллион долларов, чтобы Ботвинник смог приехать и протестировать свои идеи на американском компьютере. Советские власти его не пустили. «Но я буду добиваться поездки и добьюсь, если раньше не помру», — реалистично оценил свои перспективы патриарх.

Философия Ботвинника при создании шахматных программ отличалась от той, на которой основывались его американские коллеги. Жаль, что не удалось проверить гениальность Ботвинника и в этой области.

Вскоре появилась жена Ботвинника Гаянэ — Ботвинник называл ее Ганна, — и сообщила, что на кухне нас ждут пироги и чай. Конец визита прошел в светской беседе.

Месяца через два после нашей подачи заявления произошло еще одно событие, потрясшее советский шахматный мир. Команда спортобщества «Буревестник» отправлялась в западногерманский город Золинген на матч кубка Европы с местным клубом. Одессит Лева Альбурт — летел он на матч, как и все советские участники, из Москвы, — провел вечер перед вылетом со мной. Мы долго гуляли и обсуждали жизнь, или, как сказал бы одессит, «беседовали за жизнь». Одна тирада Альбурта запомнилась мне дословно: «В Одессе я живу хорошо, — говорил Лева. — Я легко зарабатываю столько денег, сколько мне нужно. С девушками у меня тоже все в порядке. Шахматных турниров мне хватает. Но мне стыдно жить в этой стране».

После прогулки мы пришли ко мне домой, и моя мама стала кормить нас ужином.

— Вы, конечно, согласны, что евреям в этой стране жизни нет, — начала мама, остро переживавшая наш предполагаемый отъезд.

— Почему же только евреям, — возразил Лева, — здесь никому жизни нет.

Через день, ранним вечером, я занимался тем, чем занимались в такой вечерний час многие советские интеллигенты — я крутил ручку настройки радио, пытаясь поймать сквозь вой глушилок какую-нибудь западную станцию. Вдруг я услышал чистый голос, сообщение «Немецкой волны», что советский гроссмейстер Лев Альбурт попросил политического убежища в полицейском управлении города Кёльна. Тут же глушилка накрыла голос диктора.

Вскоре раздался телефонный звонок. Тренер команды «Буревестник», уже упоминавшийся Борис Постовский, встревоженным голосом спросил меня, не слышал ли я каких-либо новостей. Как «невыездной», Борис находился не с командой в Германии, а с остатками команды, то есть с женами шахматистов, в подмосковном доме отдыха, где команда готовилась к поездке. Еще один тренер команды, Борис Персиц, тоже оставшийся в доме отдыха, ловил, как и я, радионовости. Но его приемник глушилка накрыла раньше чем мой, и он не понял, кто из членов команды попросил политического убежища. Жены шахматистов, услышав неясную новость, все как одна пустились в плач. Трудно было придумать себе участь хуже, чем жена невозвращенца. У всех перед глазами был пример семьи Корчного. Сын Виктора Корчного Игорь сидел в те годы в тюрьме. Я вернул спокойствие женам коллег — Альбурт был не женат.

Позже, обдумывая путь из СССР Альбурта и свой, я должен признать, что правильным был его путь. Следовать правилам в отношениях с организациями, находящимися над законом — коммунистической партией и КГБ, — было глупо. Конечно, убежать от них с семьей было довольно сложно, но возможно. И я, и Аня, за границу выезжали. Но после подачи документов строить планы побега стало уже поздно.

В эти два месяца после подачи нами документов решился вопрос, отпускать ли нас. Кто решал — Спорткомитет, КГБ или партия, я не знаю до сего дня. Да эти организации, как чудовищный сиамский близнец, имели сросшиеся части своих уродливых тел. Как была решена наша судьба, мы, естественно, тогда тоже не знали. Подавшие заявление на выезд в Израиль ждали ответа в ту пору обычно до девяти месяцев.

Пока же меня исключили из турниров, в которые я до того был уже приглашен, например из международного турнира во Фрунзе в июле 1979 года, в котором впервые ярко блеснула звезда молодого Гарри Каспарова; нас обоих — меня и Аню — лишили стипендий, которые государство потихоньку платило ведущим спортсменам. Официально в СССР профессиональных спортсменов почему-то не существовало.

Снятие стипендии с Ани было особенно вопиюще. Закон вроде бы защищал ее права как кормящей матери трехмесячного сына. Но говорить о законе в СССР было несмешной шуткой. Позже, послушав отказников, считавших, что советскую власть нужно донимать через ее же законы, мы подали в суд. Суд в СССР был, естественно, такой же шуткой, как и законы.

Между тем приближалось лето 1980 года — время летней Олимпиады в Москве. Евреи, гурьбой побежавшие, как и мы, в 1979 году подавать заявления на выезд в Израиль, почему-то считали, что к Олимпиаде всех «подавантов» должны отпустить.

Действительно, перед Олимпиадой получила выездные визы значительная группа евреев, последняя, перед долгим периодом, когда власти, пытаясь задушить процесс еврейского исхода, почти полностью перестали давать разрешения на выезд. Рассказывали, что одного отказника, спохватившись, вызвали в ОВИР за три дня до Олимпиады и спросили, хватит ли ему трех дней, чтобы собраться к отъезду. «Я могу собраться прямо сейчас, в вашем кабинете», — вроде бы ответил он.

Относительно нас КГБ провел перед Олимпиадой незамысловатую операцию. Сначала я как бы случайно встретил на улице Андрея Макарова. В начале перестройки Макаров станет знаменитым «демократом», главным обвинителем на процессе над коммунистической партией. Потом он станет председателем шахматной федерации СССР и прославится тем, что попробует оформить себе звание международного мастера по шахматам, представив в ФИДЕ таблицу турнира, которого вообще не было. Но запротестовали некоторые «участники» того турнира-привидения. Впрочем, я точно не знаю, может быть, ему и удалось оформить звание.

Я был знаком с Макаровым, поскольку в 1973 году он, студент младшего курса юридического факультета МГУ, ездил представителем с шахматной командой Московского университета на Всесоюзное первенство вузов в Бельцы. Там Макаров поразил меня тем, что однажды предложил: «Ты сильнейший в команде. Давай, ты будешь подсказывать правильные ходы другим, а я буду передавать твои подсказки». «Понятно, какому пониманию законности их учат на юридическом», — подумал я.

Макаров при встрече сказал мне, что знает кое-что о моем деле, и предложил мне встретиться на улице около юридического факультета — он был на юрфаке в 1979 году уже не студентом, а сотрудником.

«Что же, может быть, он что-нибудь шепнет мне на улице, что слышал в своем ведомстве», — понадеялся я. Но когда Макаров привел меня в свой кабинет, я понял, что беседа наша будет записываться. Он, конечно, сказал, что «слышал от ребят», что меня отпускают. Я, на всякий случай, сказал, что если меня не выпустят, тихо сидеть не буду.

Через некоторое время, с интервалом в неделю, позвонили мне двое моих друзей — гроссмейстеры Юра Разуваев и Гена Сосонко. Сначала Юра из Ленинграда, а потом Гена из Амстердама сообщили, что Карпов сказал им, будто решено дать нам разрешение на выезд. К чести моих друзей, каждый из них сказал мне, что сомневается, до какой степени этой информации можно верить. Но верить так хотелось...

Все же удивительно, для каких мелких агентурных целей КГБ использовал председателя Фонда мира и чемпиона мира!

Хоть я и чувствовал, что КГБ меня обманывает, я решил никаких акций во время Олимпиады не предпринимать. Все-таки был отличный от нуля шанс, что не обманывают!

Перед Олимпиадой я встретился с отказником, врачом Володей Бродским. Через несколько лет Володю посадят на год и он станет «узником Сиона». А тогда Бродский организовывал — на время Олимпиады — недельную групповую голодовку протеста и предложил мне поучаствовать. Я отказался — может быть, и так отпустят. Кроме того, я принял уже предложение своего друга Марка Дворецкого на время Олимпиады поехать на олимпийскую базу «Эшеры» под Сухуми.

Марк был тренером выдающейся грузинской шахматистки Наны Александрии, готовившейся к матчу претенденток, и я согласился позаниматься с ней дебютами. На базе я жил анонимно и ни в каких ведомостях не значился. Увы, в «Эшеры» во время наших занятий приехали отдыхать Батуринский и независимо от него знавший меня доктор, который ездил с шахматной командой на Олимпиаду в Буэнос-Айрес. Вопрос, конечно, не в том, кто из них «настучал», а в том, кто «настучал» первым.

Нану наказать за общение со мной не могли — она была гордостью грузинского народа. Закрыли выезд за границу на год Дворецкому. Кто пострадал? Совершенно посторонний человек — Коля Андрианов.

В ту пору Дворецкий — действительно замечательный тренер — каждый год производил для Советского Союза по чемпиону мира или Европы среди юношей. Единственное исключение — Андрианов. Поехав на первенство Европы без своего тренера, — Марк отбывал карантин — Андрианов ничего не выиграл.

4. Среда обитания отказника

Странная это была популяция — отказники. Власти не хотели нас отпускать и в то же время не давали нам жить нормально внутри страны. Я думаю, в начале восьмидесятых отказников скопилось несколько десятков тысяч. Перед тем как форточка в начале 1980 года, после начала оккупации Афганистана, захлопнулась, большое количество евреев, надеясь, что перед летней Олимпиадой 1980 года в Москве власти не будут держаться за нежелательный элемент, подали заявление на отъезд. Ходила шутка: «Как будет называться в Советском Союзе еврей после Олимпиады? — Идиот!»

Потеряв работу, высококвалифицированные отказники вынуждены были устраиваться дворниками, лифтерами, истопниками. Например, муж моей сестры, ученый-ядерщик Володя Кислик, работал в котельной, отапливавшей жилые дома. В то же время, со времен переворота 1917 года, отказники оказались первой многочисленной группой в империи, противостоящей режиму. Семь лет — с 1979 по 1986 год — мы прожили в этом сообществе.

Значительную часть отказников в Москве составляла научная и художественная интеллигенция, часто высокого уровня. Оказавшись лишенными возможности продолжать свою профессиональную жизнь, повиснув между закончившейся советской жизнью и не начавшейся нормальной, отказники пытались наладить призрачное существование на пятачке тверди, оставленной им.

Я бывал на домашних концертах отказников, пианиста Володи Фельцмана, скрипача Александра Брусиловского, дуэта певцов — супругов Аллы Йошпе и Стахана Рахимова. Несколько легче была жизнь отказников художников. Они не нуждались для своего творчества в концертных залах или в международных шахматных турнирах. В официальных выставках они, конечно, участвовать не могли, но писать и продавать картины имели возможность.

Ученые отказники организовывали научные семинары. Иногда квартиры, на которых семинары проходили, блокировал КГБ, но на следующей неделе ученые собирались вновь. Хоть и не всегда. Как-то мне передали приглашение посетить семинар, который организовал на своей квартире профессор математики Виктор Браиловский. Перед тем как отправиться на его семинар, я поймал радио «Голос Америки» и услышал, что накануне вечером Виктора Браиловского арестовали. Познакомился я с ним лишь через несколько лет, когда он вернулся из ссылки.

Я посещал семинар, который организовывал на своей квартире ученый-генетик Валерий Сойфер. Мой доклад на этом семинаре «Шахматы как феномен культуры» был принят очень хорошо. «Я давно не получал такого удовольствия от разговорного жанра», — так витиевато выразил мне свои чувства профессор-кардиолог, участвовавший в семинарах Сойфера.

Естественной средой общения отказников была диссидентская интеллигенция Москвы. Я подружился в те годы с крупным российским писателем Георгием Владимовым. После высылки из Москвы в начале 1980 года академика Сахарова Владимов оказался самым известным за пределами СССР советским диссидентом.

Конечно, я читал превосходные хоть и немногочисленные произведения Владимова задолго до нашего знакомства. Произвел на меня впечатление и урок человеческого достоинства, который Владимов преподал честной интеллигенции Советского Союза в 1978 году. К тому времени Союз писателей СССР, организация, созданная партией для того, чтобы руководить литературой, трижды исключал из своих рядов достойнейших своих членов. Борис Пастернак, Александр Солженицын и Лидия Чуковская отчаянно сопротивлялись своим исключениям. И вот, в ноябре 1978 года, когда я играл за советскую команду на шахматной Олимпиаде в Буэнос-Айресе, в киоске в газетах на разных языках, я увидел портрет Владимова, закуривающего сигарету, и его открытое письмо в Союз писателей СССР. В том письме Владимов заявлял, что выбывает из Союза писателей и исключает его из своей жизни. Владимов использовал прекрасный шахматный образ: Союз писателей, в котором писатели, которых не покупают и не читают, руководят писателями, которых покупают и читают, — как шахматная композиция с заданием: серые начинают и выигрывают.

В своей крохотной квартирке в Филях Владимов жил как в осаде. Гэбэшники чудились, да и присутствовали незримо, где-то рядом. Однажды мне удалось невольно спасти малую часть библиотеки Владимова.

Отказники и диссиденты были естественным каналом, через который в Советский Союз проникали с Запада не разрешенные в СССР книги. Тамиздат, как мы называли изданные за границей книги в отличие от самиздата, отпечатанного на пишущей машинке внутри страны, прибывал в багаже туристов и, видимо, также через дипломатическую почту. Причем через отказников шла в основном сионистская и еврейская литература, а через диссидентов — вся прочая. В какой-то момент по Москве разошлись ксерокопии книги Корчного «Антишахматы» с дарственной надписью на титульном листе мне от антигероя этой книги Раймонда Кина.

Как-то, проведя вечер у Владимовых, я вернулся домой, нагруженный книгами, взятыми для прочтения у писателя. Позже, в тот же вечер, к нему нагрянули гэбэшники с обыском и изъяли весь тамиздат. Осталось лишь то, что я унес. Я жалел потом, что не взял больше.

Сохраню одну историю, которую я слышал от Владимова. Писатель со своей женой Наташей навещают академика Сахарова в знаменитой квартире Сахаровых на улице Чкалова. В какой-то момент Владимов и одновременно с ним Сахаров замечают ползущего в углу комнаты таракана. Академик освобождает коробочку от таблеток, сгрузив содержимое ее на салфетку, помещает в коробочку насекомое и собирается выкинуть пленника в окно.

— Не разобьется? — спрашивает писатель.

Сахаров оставляет коробочку с тараканом на подоконнике, садится к столу, производит на листке бумаги вычисления, сообщает:

— Не разобьется, — и, вернувшись к окну, завершает задуманное.

Стиль книг Владимова несколько напоминал стиль Ремарка и Хемингуэя, первых современных западных писателей, опубликованных в СССР, когда в годы «оттепели» приподнялся железный занавес. И в жизни Владимова привлекал тот же стиль. На него произвела большое впечатление, видимо, своей литературностью, история моряка, который сбежал с советского корабля в Швеции, а потом прислал на безлюдный берег Балтийского моря за женой и дочкой одномоторный самолет с отчаянным шведом. Жена и дочь по неизвестным причинам на условное место не прибыли, и швед улетел ни с чем.

Когда в 1983 году пресс КГБ вынудил Георгия и его жену Наташу покинуть СССР, Владимов предложил мне попробовать повторить тот трюк. Я принял идею, даже купил карту Карелии и прикидывал, куда мог бы залететь самолет из Швеции. Три года спустя, в 1986 году, когда мы уже покинули СССР, Владимов сказал мне, что самолет он нашел, но не было пилота, готового взяться за столь рискованное дело. Где был в это время Матиас Руст, посадивший свою «Цессну» на Красной площади в 1988 году?!

Нашим близким другом стал замечательный эссеист, поэт и прозаик Юрий Карабчиевский. Юра был человеком патологической честности и органичности. К моменту нашего знакомства он не опубликовал ни строчки в СССР, поскольку сотрудничать с подцензурными изданиями не мог физически. Но и покинуть Советский Союз Карабчиевский не пытался, так как чувствовал себя частью русской культуры. Юра публиковал свои произведения на Западе, а средства на жизнь добывал, работая инженером, наладчиком приборов. КГБ его не хватал, наверное, потому что Карабчиевский не был антисоветским писателем, он был только совершенно не советским, то есть честным и органичным в каждой своей букве.

Метаморфоза в судьбе Карабчиевского произойдет в годы перестройки. В России опубликуют все его произведения. Он станет популярным. Но не перенесет исчезновения культуры, от которой когда-то не уехал. Он сравнит в своем эссе неподцензурную вольную русскую культуру, к которой принадлежал во времена горбачевской свободы, с шагреневой кожей и покончит с собой в 1992 году. У меня осталось перед ним чувство вины. Что можно было сделать из Америки, чтобы спасти его? Наверное, что-то можно было.

Ярким впечатлением стало для меня общение с поэтом, переводчиком и мемуаристом Семеном Израилевичем Липкиным. Он и его жена, поэт Инна Лиснянская, стали диссидентами почти поневоле. В 1979 году они участвовали вместе с другими лучшими российскими литераторами в издании неподцензурного альманаха «Метрополь». Когда двоих менее известных участников альманаха, Евгения Попова и Виктора Ерофеева, исключили из Союза писателей за такую нелояльность цензуре, остальные должны были, по уговору, в знак поддержки также выбыть из этого Союза. Но выбыли только редактор альманаха Василий Аксенов и чета Липкин—Лиснянская.

Семен Израилевич был частью культуры легендарной — еврейская Одесса начала века; друзья Осип Мандельштам, Исаак Бабель, Василий Гроссман, о которых он писал воспоминания; восточные культуры — Липкин перевел на русский язык основные восточные эпосы.

Короткая байка, слышанная мной от Семена Израилевича: молодой Липкин и Михаил Булгаков долго молча ждут у площади Ногина трамвай. Сейчас эта площадь называется как-то по-другому, а место, где Липкин и

Булгаков ждали трамвай, помечено двойной скульптурой мужчин, но не героев байки, а почему-то Кирилла и Мефодия.

Чтобы завести разговор, Липкин замечает:

— Что-то трамваи не ходят.

— Я не удивляюсь, что трамваи не ходят. Я удивляюсь, что трамваи ходят, — отзывается Булгаков.

Запомнилась мне идея, слышанная от Липкина, которая не выдержала испытания сегодняшним днем. Однажды я спросил Семена Израилевича, знатока и переводчика поэзии мусульманского Востока, в чем причина того, что народы, которые тысячу лет назад были носителями самой развитой в мире культуры, сегодня плетутся в арьергарде. «Старые народы теряют динамичность, — объяснил он мне. — Эти народы выдохлись». Сейчас никто бы не сказал, что мусульманские народы выдохлись.

5. Первые битвы

Между тем минуло больше года с того времени, как мы подали в ОВИР прошение о выезде, а ответа не было. Отсутствие ответа — тоже ответ. Мы решили провести нашу первую акцию протеста — недельную голодовку. Приурочили ее к Всемирной шахматной Олимпиаде на Мальте — ноябрь 1980 года. Перед голодовкой я разослал письма в шахматные федерации важнейших стран с призывом о поддержке. Писать письмо за границу в ту пору было то же самое, как писать письмо в КГБ. Дело не в том, что прочтут. Так как мы написали о нашей голодовке в Спорткомитет СССР, КГБ о ней и так знал. Проблема в том, что не дойдет. Помогли связи Владимова — письма ушли дипломатической почтой.

Голодовка дала два результата, и оба не те, на которые мы рассчитывали. Один — нам разрешили участвовать в официальных соревнованиях внутри СССР, и второй — у меня случились спровоцированные голодовкой почечные колики. После ужасной ночи с двумя вызовами машин неотложной «скорой помощи» я отправился наутро в районную поликлинику. Молодая врачиха, выслушав меня, почему-то с плохо скрываемым презреньем сообщила, что у меня аппендицит. Я заметил ей, что мой аппендикс вырезан десять лет назад, и лечиться у нее передумал.

Это были годы, когда на глазах стала рассыпаться советская система здравоохранения. В эти же годы стала разваливаться и советская школьная система, с дореволюционных лет хранившая до той поры известные традиции. Советский Союз быстро двигался к своему концу.

Что касается участия в советских турнирах, то после некоторых сомнений мы решили вернуться в них. Мы подумали, что властям будет неприятно смотреть на наши победы и нас отпустят.

Первой в чемпионате Москвы среди женщин в конце зимы 1981 года сыграла Аня и легко его выиграла.

Мужской чемпионат Москвы состоялся в мае 1981 года и был, без иронии, большим организационным успехом председателя московской федерации Константинова. Участвовало 13 гроссмейстеров, так как чемпионат сделали открытым. Пригласили Рафика Ваганяна из Армении, нового чемпиона СССР Льва Псахиса из Красноярска и других. Меня допускать не хотели, я написал жалобу начальнику отдела агитации и пропаганды ЦК КПСС Тяжельникову, и меня в турнир включили. За годы отказа я написал неимоверное количество жалоб и добился в деле написания их совершенства. Увы, после отъезда такое мое мастерство стало невостребованным.

Оказалось, что, пытаясь не допустить меня, московские начальники были по-своему правы, — турнир я им испортил. Сначала, «после известной голодовки», как выразился в своей речи на закрытии первенства Константинов, я играл с большим подъемом и убедительно выиграл турнир. «Советскому спорту» в обзорах туров приходилось после описания семи партий из восьми игранных — моя пропускалась — приводить положение участников. И здесь моя фамилия неизменно оказывалась первой.

Но главная неприятность ждала их на торжественном закрытии чемпионата. В самом большом зале Центрального Шахматного клуба СССР за длинным столом разместилось московское начальство. Зал заполнила публика. Начальство стало обмениваться похвалами друг другу о действительно хорошей организации первенства. В конце мероприятия, когда, расхвалив друг друга, начальство расслабилось, к столу вышел я, и заявил, что хочу сказать несколько слов.

Период тот — весна 1981 года — в мире шахмат был особый. Приближался второй матч на первенство мира между Карповым и Корчным в итальянском городке Мерано. Борьба та — между героем советской системы и «отщепенцем» и беглецом — была верхом бесстыдства и аморальности в истории шахмат, да и спорта вообще. Только футбольный матч киевского «Динамо» с немцами в оккупированном Киеве в 1941-м или 1942-м году мог бы сравниться по гнусности с той шахматной борьбой. По легенде, футболистов «Динамо», выигравших игру, расстреляли.

Перед первым матчем на первенство мира между Карповым и Корчным на Филиппинах осенью 1978 года советские власти летом в Москве арестовали сына Виктора Корчного Игоря. Вина Игоря перед властями заключалась в том, что он хотел уехать к отцу. Игорю предлагали вместо этого идти служить в армию. На самом деле Игорь Корчной стал пешкой в партии «КГБ против Виктора Корчного». После отказа Игоря идти в армию приговор был три года тюрьмы.

Мне представляется, что проводить в таких условиях матч на первенство мира было совершенно немыслимо. С древних времен, после того как сыновей перестали приносить в жертву языческим богам, ничего омерзительнее матча, когда сын одного участника находится фактически в руках другого, не придумать.

И вот в Италии должен был начаться второй такой матч. Президент ФИДЕ, исландский гроссмейстер и юрист Фридрик Олафсон, последний президент шахматной федерации — представитель Западного мира, предпринял шаги к тому, чтобы добиться освобождения Игоря Корчного. Он отложил на месяц начало матча, чтобы дать советским властям время освободить Игоря. Советы в ответ организовали в самой популярной в СССР газете «Советский спорт» кампанию писем протеста против этого решения Олафсона. Гроссмейстеры «писали», как нехорошо нарушать регламент матча.

Я запомнил такой «перл»: «Корреспондентам не удалось связаться с западногерманским гроссмейстером Робертом Хюбнером, но герр Мюллер, знакомый Хюбнера, сказал корреспондентам, что знает, что Хюбнер осуждает Олафсона».

Итак, я вышел к столу. Я поблагодарил организаторов чемпионата, а потом огласил наше с Аней «Открытое письмо» в Федерацию шахмат СССР. Мы призвали федерацию добиться освобождения Игоря Корчного. Ситуацию, когда играется матч, а сын Виктора Корчного томится в советской тюрьме, мы назвали унизительной для Карпова — не может быть и речи о равном положении участников. Завершали мы письмо эффектной фразой: «Тень тюремной решетки не должна падать на шахматную доску».

Наступила тяжелая тишина. Даже автор речей Суслова не смог выдавить из себя больше чем: «Непонятно». Публика стала молча расходиться. В толчее на лестнице какой-то старый человек, не сказав ни слова, пожал мне руку.

В тот же вечер о нашем письме и о его оглашении на закрытии турнира рассказал «Голос Америки». Из приглашенных мной западных корреспондентов трое американцев присутствовали в зале шахматного клуба на церемонии закрытия. Историю о моем выступлении на этой церемонии New York Times опубликовала на первой полосе.

Естественно, не все одобрили наше письмо. Председатель Спорткомитета Москвы Ковалев, сидевший в президиуме на том закрытии первенства Москвы, выступая на собрании в спортивном диспансере несколькими днями позже, заявил, что я душевно больной и меня нужно лечить. К счастью, дальше этого заявления дело с «лечением» не пошло.

Через некоторое время после оглашения нашего письма я имел новую беседу с менеджером Карпова Александром Бахом. Тот сообщил мне, что «Толя в бешенстве», так как я «все испортил». Что я испортил? Видно, Карпову и в голову не приходило, что можно играть в шахматы честно, когда соперники находятся в равных условиях.

Между тем мы продолжили участие в официальных соревнованиях. Осенью того же 1981 года я, стараниями КГБ, выиграл вчистую престижную Первую лигу первенства СССР в Волгодонске. Дело было так. Турнир тот был отборочным. Четверо победителей его выходили в Высшую лигу первенства СССР. Выиграв важную партию в третьем с конца туре, я полагал, что турнир для меня окончен. В предпоследнем туре я сделал быструю ничью с неудачно игравшим в Волгодонске гроссмейстером Евгением Владимировым и в последнем туре надеялся сделать такую же быструю ничью с Нюмой Рашковским. Такая ничья обеспечила бы нам с Нюмой как минимум дележ мест с первого по третье и выход в Высшую лигу. Но тут вмешались высшие силы, вернее, низшие, вернее, чертовщина от КГБ.

На последние дни турнира в Волгодонск прибыли работники Управления шахмат Спорткомитета СССР — Михаил Бейлин и Олег Стецко — с инструкцией постараться помешать мне попасть в Высшую лигу. Бейлин был характерным представителем советского работника — вольнолюбивый на словах, он старательно выполнял распоряжения КГБ, с которым сотрудничал всю жизнь.

Бейлину было что предложить Нюме. Рашковский был в ту пору единственным советским гроссмейстером, которого никогда не выпускали за границу, даже в такую заграницу, которая и заграницей-то толком не была. Причины таких гонений на Нюму я не знаю.

Бейлин пообещал Рашковскому, что если тот выиграет у меня, его пошлют на турнир в Румынию. Легко сказать выиграть. Нюма бывал не раз пребольно бит мной. И Нюма решил перестраховаться — выиграть в предпоследнем туре у аутсайдера. В этом случае он мог бы спокойно играть со мной. Даже поражение оставило бы ему место в Высшей лиге.

Конечно, Нюма проиграл от волнения и аутсайдеру, и в последнем туре мне. В той ситуации партия, действительно, стала для него решающей.

Вернувшись в Алма-Ату, где он тогда жил, Нюма обратился в ЦК Компартии Казахстана с просьбой, чтобы те добились включения его в Высшую лигу первенства

СССР, так как пал он, защищая родину от «подаванта». Но павших героев в СССР уважали, только когда те были по-настоящему павшими, а Нюму, вполне живого, никуда не пустили — ни в Высшую лигу, ни в Румынию. Я же получил чистый первый приз в 800 рублей — не лишнюю вещь в утлом хозяйстве отказников.

6. Проигранные сражения

Конечно, мы подавали заявление об эмиграции не для того, чтобы жить в Советском Союзе отказниками и играть иногда в официальных первенствах. А поскольку мы почувствовали, что нас держит серьезный якорь, то решили и срываться с этого якоря серьезными действиями.

Арсенал протестных акций отказника был не столь велик: демонстрация и голодовка. В наступившем 1992 году мы решили использовать оба средства.

В сентябре в Москве должен был состояться межзональный турнир первенства мира. Он, конечно, вызвал большой интерес и прессы, и шахматной публики всего мира. Мы решили устроить перед началом турнира демонстрацию.

Демонстрации протеста были в то время в СССР опасным делом. Со времен демонстрации троцкистов 7 ноября 1927 года участники таких протестных акций всегда арестовывались и приговаривались к заключению. Так было с демонстрацией на Красной площади в августе 1968 года группы Павла Литвинова, протестовавшей против оккупации советскими войсками Чехословакии, так бывало с диссидентами, проводившими в разные годы молчаливые демонстрации в День прав человека на Пушкинской площади. Отправили в заключение отказников Машу и Володю Слепак, а также Иду Нудель, вышедших на балконы своих домов в июне 1978 года с плакатами протеста против нарушения их права на репатриацию в Израиль. Короче, власти всеми силами препятствовали реализации права на свободу демонстраций, данного гражданам их же потешной конституцией.

Поэтому перед демонстрацией мы решили сначала ей, власти, погрозить — авось, чтобы избежать эксцесса, партия и КГБ нас попросту отпустят. Мы написали сообщения о нашей демонстрации во все мыслимые инстанции. Во время традиционного первенства Москвы по блицу в парке Сокольники в августе я раздал всем участникам первенства письма с приглашением прийти на нашу демонстрацию и поддержать нас. Мы пытались сделать нашу акцию как можно более публичной.

КГБ принял нашу угрозу весьма серьезно. Сначала они перенесли турнир из зала гостиницы «Спутник» на несколько кварталов вверх по Ленинскому проспекту в Центральный Дом туриста. Побывав на месте, я понял причину. Подход к гостинице был открыт со всех сторон. Дом туриста же был обнесен высоким забором, и попасть в него можно было только через ворота. Потом КГБ обеспечил турнир надлежащей охраной, отрядив на эти цели, как мне сообщили люди, причастные к организации турнира, целый батальон своих войск. И это для защиты турнира от двух шахматистов-отказников!

И наконец, турнир закрыли — впервые в истории СССР — для широкой публики. Билеты на него не продавались. Попасть в зал можно было лишь по пропуску, выданному в Центральном шахматном клубе СССР.

Из этих приготовлений мы могли бы понять, как важно было для КГБ, да что там для КГБ, для всего Советского государства, не отпустить нас с Аней. Немудрено, что через семь лет после описываемых событий такое сюрреалистическое государство развалилось.

Накануне первого тура и, соответственно, накануне нашей демонстрации, мы с Аней приехали к Дому туриста, чтобы провести рекогносцировку на местности. «Мы подойдем с этой стороны и здесь развернем наш плакат», — показал я Ане. Вокруг я видел довольно много внимательных глаз и ушей. Теперь они знали, где ждать нас.

В этот вечер мы писали плакат «Отпустите нас в Израиль» по-русски и по-английски, на случай, если кто русского не знает. Мы обсуждали, не приготовить ли на всякий случай еще один плакат, но поленились.

С этим, ненаписанным вторым плакатом, связано любопытное обстоятельство.

Среди отказников свирепствовала яростная шпиономания. Я не мог пригласить в гости несколько знакомых отказников одновременно, потому что кто-то наверняка подозревал кого-то другого из приглашенных в сотрудничестве с КГБ. В целом, я не знал никого, кого бы кто-нибудь не подозревал в стукачестве. Конечно, опасения стукачества имели основания. «На горке», около московской синагоги на улице Архипова, где по вечерам каждую субботу собирались толпы отказников, чтобы обменяться новостями и просто поддержать друг друга в иллюзорной отказнической жизни, постоянно мелькали вспышки. Кто-то фотографировал собравшихся или делал вид, что фотографирует, чтобы люди боялись. И конечно же, толпа была серьезно прорежена стукачами. Скажем, бывал там Владимир Вольфович Жириновский, профессиональный провокатор, сегодня выдающийся российский политический деятель, лидер партии российских люмпенов.

Я спросил совета бывалого диссидента Георгия Владимова, как относиться к разговорам о стукачах вокруг. «Не думайте об этом, — посоветовал тот, — а если соберетесь сделать что-то в секрете от КГБ, просто никому не говорите».

Интересно, что о нашем ненаписанном втором плакате КГБ был хорошо осведомлен и на допросах, последовавших за нашей демонстрацией, все время допытывался — где же второй плакат? Осведомленность, я думаю, объяснялась тем, что в нашей квартире работали подслушивающие устройства. Через полтора года после нашей подачи документов на выезд нам неожиданно предоставили двухкомнатную квартиру в приятном московском районе Строгино. Когда я попросил квартиру в худшем районе, но рядом с моими родителями, мне ответили: или эту, или никакую. Квартира, видно, была уже оборудована к нашему вселению.

Как-то я полушутливо объяснил профессору Александру Яковлевичу Лернеру, просидевшему в отказе около 20 лет, причину упорства властей, не отпускавших его. В его шикарной кооперативной квартире на Университетском проспекте, как правило, проходили встречи московских отказников с заезжавшими американскими политиками. Во-первых, советские, по моей версии, хотели продемонстрировать американским сенаторам и конгрессменам, какими хорошими бывают квартиры в СССР. А во-вторых, им было жаль дорогостоящего оборудования по прослушиванию, которым они наверняка оснастили жилье Александра Яковлевича.

Но вернемся к нашей демонстрации. В день ее проведения мы покинули квартиру в пять часов утра. Почему КГБ проморгал нас? Какие-то идеи мы не обсуждали в голос, а писали друг другу на бумаге. Потом листки рвались и выбрасывались в туалет. Я прикидывал, не сможет ли КГБ их выловить, и решил, что такая пахучая работа им не по квалификации. Побродив по улицам несколько часов, мы отправились к моим друзьям со студенческих времен Марине Елагиной и Жене Арье.

Сегодня Женя — создатель и многолетний руководитель израильского театра «Гешер». Тогда Женя и Марина тоже были отказниками, но уволены не были, и за их квартирой, мы надеялись, КГБ не присматривал. Когда подошло время демонстрации, мы пошли ловить такси.

Такси мы, конечно, не поймали, и наняли частника. Выскочив из машины на обочину Ленинского проспекта, мы увидели перед воротами Дома туриста огромную толпу любителей шахмат, пришедших посмотреть игру Каспарова, Таля, других звезд, участвовавших в турнире. Любители еще не знали, что турнир для них недоступен. Как компенсация, их ждало другое действо из жизни гроссмейстеров.

Оказавшись на тротуаре, мы немедленно развернули наш плакат. Толпа нас не видела. Она стояла лицом к воротам и к нам спиной. Но вот кто-то нас заметил. Толпа начала разворачиваться. Тут нас заметили и поджидавшие нас гэбэшники. От ворот отделилась огромная фигура с лысой головой и гигантскими прыжками ринулась к нам. Казалось, это несется орангутанг. Это существо бросилось на наш плакат, и плод Аниной каллиграфии исчез. Потом существо вцепилось в нас и поволокло к машине милиции, поджидавшей неподалеку. За нас попытались вступиться моя сестра Бэлла и мой троюродный брат Семен Каминский, пришедшие к месту демонстрации поболеть за нас. Их тоже «замели».

Сема — поэт, композитор, автор рассказов и создатель эстрадного ансамбля, — по природе своей борец за справедливость. Когда он сказал мне, что придет на нашу демонстрацию, я посоветовал ему держаться на расстоянии от главных событий, но характер его этого ему не позволил. Так что и Семен составил нам компанию в тот вечер. А вечер тот мы провели в отделении милиции.

Сначала мы долго ждали «следователя». Наконец приехал вежливый парень лет тридцати. Беседуя со мной и с Аней, он интересовался в основном, где же второй плакат. У Семена он хотел узнать, кто привез нас. «Кажется, это были "жигули"», — назвал Сема самую распространенную в те годы марку машин. Через несколько часов нас отпустили. С некоторым облегчением вернулись мы в тот вечер домой — нас не посадили. Это показывало, что шахматная известность служила нам некоторой защитой. Но что делать дальше? Появилась мысль провести вторую демонстрацию. С одной стороны, мы надеялись на давно объявленную нами бессрочную голодовку, приуроченную к Всемирной шахматной Олимпиаде в Люцерне. Она должна была начаться через месяц. Голодать — тоже противно. Но меньше шансов, чем после демонстрации, оказаться в тюрьме. С другой стороны, властям легче терпеть голодовку, чем демонстрацию.

Ничего не решив, на следующий день мы отправились к Дому туриста. Перед воротами опять толпились люди — потенциальные зрители еще не свыклись с мыслью, что на турнир им не попасть.

Направлявшийся в зал для игры мастер Борис Грузман, с которым я когда-то сражался в московских турнирах, незаметно для окружающих сунул мне пропуск на турнир. Пропуск был на одно лицо. Мы решили, что я воспользуюсь им, а Аня поедет домой. Но полюбоваться игрой в тот день мне не пришлось. Когда я достиг входа в здание, где проверяли билеты, как из-под земли возникла вдвое укороченная версия вчерашнего гэбэшника, тоже лысая, и стала без лишних слов не по росту длинными руками наносить по мне удары. Мне представлялось, что материализовался Азазелло из популярного романа Булгакова. Как и Варенуха, которого в романе бил Азазелло, я имел при себе портфель, в котором возил книжку для чтения во время долгих поездок в метро. В той ситуации я использовал портфель как щит. Конечно, можно было защищаться активно, то есть трахнуть агрессора по лысине. Но избиение должностного лица при исполнении им своих прямых служебных обязанностей сулило какую-то статью уголовного кодекса и заключение, и я ограничился обороной. Так что один из зрителей, которым мы второй день подряд обеспечивали зрелище, знакомый моей двоюродной сестры, приехал с ней в тот вечер к моим родителям, пересказал им виденное у входа в Дом туриста и сообщил, что я «вел себя отнюдь не героически».

Меня запихнули в милицейскую машину, возможно в ту же, что и накануне, и доставили в уже знакомое отделение милиции. И опять я должен был долго кого-то ждать. В какой-то момент в отделение привезли большую группу выпивох, задержанных у винного магазина. Один из них обратился ко мне с просьбой: «Заслони меня. У меня осталось недопитых полбутылки. Отнимут ведь». Но я отказался служить прикрытием — пьянства я не одобрял. И вообще, я испытывал относительно пьяницы снобизм задержанного по политической статье.

Через несколько часов меня отпустили, и я вернулся домой. Мы, оценив нападение на меня, решили, что в случае новой демонстрации нас скорее посадят, чем выпустят, и возложили наши надежды на голодовку.

Возможность уголовного преследования, видимо, обсуждали не только мы. Через несколько дней после описанных событий к нам домой явился приветливый парень и сообщил, что меня приглашает для беседы главный прокурор нашего Ворошиловского района Москвы. Порученец предложил мне сразу же подвести меня в прокуратуру. Я воспользовался его любезностью. Не каждый день выпадает честь поговорить с прокурором района и передать через него послание властям.

Прокурор, немного смущаясь, сообщил, что против меня может быть возбуждено уголовное дело, сулящее столько-то лет тюремного заключения. Я обругал прокурора за невежество — он должен был бы знать, что никаких законов мы не нарушали. В отличие от людей, нарушающих наши права.

Домой я возвращался пешком. Никто меня уже не подвез. И я думал, что никакой вражды к прокурору я не испытываю. Ему начальство поручило меня предупредить. Да и к стукачам, подслушивающим меня. Работа у них такая. Да и к топтунам, топающим за мной. Да и к гэбэшнику, атаковавшему меня. Он так зарабатывает себе на хлеб и на водку.

Но я испытывал вражду к людям, которые неведомыми путями имели власть решать мою судьбу, направлять прокурора, стукачей, топтунов. К анонимным владельцам моей жизни. Захотят — в тюрьму посадят. Захотят — на волю отпустят. И конечно, я ненавидел политическую систему, в которой я с рождения был рабом этих людей. Конечно, рабами были все. Но ощутить свое рабство можно было, только попытавшись вести себя как свободный человек.

В свободный от игры на турнире день нас навестили английский гроссмейстер Раймонд Кин (Raymond Keene) и американский — Ларри Крисчиансен (Larry Christiansen). Кин исполнял в Москве функции секунданта Крисчиансена. В те годы Раймонд был весьма активен в международной шахматной жизни. Я встретил его впервые еще в 1966 году на студенческой олимпиаде в Швеции. Сейчас он привез мне в подарок книгу Корчного «Антишахматы», которую я упоминал раньше.

Раймонд предложил мне написать о себе и о нашем нынешнем положении статью, которую он брался напечатать в разных шахматных журналах, чтобы привлечь больше внимания к нашему положению. Шесть дней я напряженно трудился, диктуя статью своей сестре Бэлле и комментируя несколько своих красивых партий. Незадолго до окончания турнира я вручил рукопись Кину.

О том, что произошло с этой рукописью дальше, я узнал много лет спустя от Ларри Крисчиансена, с которым позже сыграл немало партий в различных американских турнирах. Когда Кин и Крисчиансен упаковывали свои вещи перед отбытием из Москвы, Кин попросил своего подопечного положить мою статью в свой чемодан. Кин выступал раньше секундантом

Корчного и опасался, что КГБ может быть настороже относительно него.

Ларри разложил листки моей рукописи между своими грязными носками и трусами, которые он намеревался, вернувшись домой в Калифорнию, постирать в превосходной американской стиральной машине. Конечно, на московской таможне в Шереметьево на чемодан Кина никто не взглянул, а в чемодане Ларри не побрезговали перерыть все его пожитки и изъяли мою рукопись до последнего листка. Для КГБ было не внове копаться в грязном белье.

Мои коллеги тогда еще, видно, не прониклись сознанием, что у стен в московских гостиницах есть уши. И эти «уши» хорошо понимают даже по-английски.

За две недели до начала Всемирной шахматной Олимпиады в Люцерне, примерно 20 октября 1982 года, я начал бессрочную голодовку. Дней на десять позже голодовку начала и Аня. Будучи почти вдвое легче меня, она и ресурсов для голодания имела вдвое меньше. Вес для возможностей длительной голодовки — решающий фактор. Проиллюстрирую таким примером.

В марте 1987 года я встречал в Вене своих немолодых родителей, которых легко выпустили из Союза через год после нашего отъезда.

— Как себя чувствует мистер Х? — едва ли не первый вопрос, который задала мне мама.

— Кто такой? — не понял я.

— Как, ты не знаешь? Мистер Х уже полгода голодает у Белого дома. Он требует то ли мира во всем мире, то ли всеобщего разоружения. Советское телевидение только о нем и говорит.

Позже я выяснил. Мистер Х действительно голодал полгода у Белого дома. Он начал с веса килограммов в 250 и за полгода потерял из них 90. Если бы Аня потеряла 90 килограммов, ее вес был бы минус сорок. Да и мой вес ушел бы в отрицательные величины. Голодовку мистер Х закончил еще до того, как в мире исчезли войны и оружие.

Голодовку мы проводили на квартире моих родителей. А они с нашим маленьким сыном жили в это время в нашей квартире. Квартира моих родителей имела такое удобство, как телефон. Правда, пользоваться им мы не могли, так как телефон КГБ отключил. И долго еще, шесть месяцев после окончания нашей голодовки, мой отец, ветеран войны, которому по советским правилам полагался почет, не мог добиться, чтобы ему снова включили телефон.

Отключение телефона, правда, создало не только коммуникационные проблемы для нас и для моих родителей, но и информационные для самого КГБ. Активное прослушивание этого телефона КГБ даже афишировал. Так, однажды, осенью 1983 года, гэбэшники позвонили по этому телефону моей сестре Бэлле, которая тогда еще жила с нашими родителями, и сообщили, что приедут для беседы. Бэллу, активную отказницу и бывшего инженера-электронщика, преследовали обвинениями в тунеядстве.

Вскоре позвонил из автомата я. Узнав о предстоящем визите людей из КГБ, я посоветовал: «Заставьте их снять обувь». Конечно, грязь на московских улицах в это время года стояла отменная, но главный смысл моего послания был — не волнуйтесь.

Через полчаса после моего звонка в квартиру родителей прибыли два гэбэшника. «Мы, конечно, снимем обувь», — первым делом заявили они. Мама так удивилась, что ее разговоры подслушивают, что разрешила: «Проходите так».

А вопрос с Бэллиным «тунеядством» разрешился благополучно. Семен Каминский, о котором я уже писал, был членом какого-то «творческого союза», имел право нанять себе секретаря и нанял Бэллу. По тем временам это был смелый поступок.

Вернусь к нашей голодовке. Целыми днями, с утра до вечера, у нас в квартире находились визитеры. С одной стороны, это была форма поддержки. С другой — контроль. Аня заметила, что во время голодовки значительно проще принимать гостей — не нужно заботиться об угощении.

Известный правозащитник Пинхас Абрамович Подрабинек перед началом нашей голодовки сокрушался, что нельзя организовать голодовку где-нибудь в больнице, где мы были бы под круглосуточным контролем. Оба его сына — Александр и Кирилл — в это время находились в тюрьме за диссидентскую деятельность, а Пинхас Абрамович волновался, не обманем ли мы советскую власть и родной КГБ, уплетая от тех потихоньку.

Приехав к нам через неделю после начала моей голодовки, Подрабинек оглядел меня и удовлетворенно констатировал: «Даже нос похудел». А я успокоил его — если во время длительной голодовки немного есть, — начнется дистрофия. Выжить дней 50—70 можно, если не есть совсем, а только пить воду. Так что голодать по-честному — в наших интересах.

Эксперимент, на какой стадии голодовки обычный человек умирает, поставили ирландские террористы. Через несколько лет после нашей они провели цепь голодовок в английской тюрьме, требуя статуса полит-заключенных. Маргарет Тэтчер, человек не сентиментальный, не уступила и дала им всем умереть. Террористы — ребята крутые — тоже не отступали. Первый из них умер на 56-й день, самый стойкий — около 70-го. Похоже, ресурсов мистера Х никто из них не имел. Догадываюсь, что толстяки не идут в террористы. Они борются за мир.

Однажды, кажется на пятый день голодовки, КГБ нашу квартиру блокировал. В этот день у нас должен был собраться шахматный клуб имени меня. Был у отказников и такой. Почему всех к нам пускали, а шахматистов не пустили — не знаю. Людей задержали у входа в наш дом и отвезли в отделение милиции. Я узнал об этом в тот же вечер из интервью «Голосу Америки», в котором мой друг, ученый-генетик Валерий Сойфер, рассказал о злоключениях шахматистов-отказников.

Длительная голодовка, замечу я, вещь противная. Очень скоро человека покидают силы. У меня стало хуже с глазами. Я не мог не только читать, но и смотреть телевизор. Тоска.

Первые дней 15 я терял по килограмму в день. Потом наступила следующая стадия голодания — я худел лишь грамм по сто в день. Я понял, почему сегодняшние евреи не похожи на евреев со старых гравюр. Те плохо питались и были очень худы. Я стал походить на старые гравюры. Руки и ноги выглядели, как шлагбаумы. Зато я стал легко садиться в позу лотоса. Йоги, я вспомнил, тоже почти не едят.

Наша голодовка — событие, в те годы еще необычное, — судя по передачам зарубежных радиостанций, имела значительный резонанс. Была реакция на нее и на шахматной Олимпиаде. Годы позже, на один из турниров Виктор Корчной привез мне майку с аппликацией BORIS GULKO, в которой он участвовал в пресс-конференции, организованной по нашему поводу. В такой же майке вышел на матч с советской командой голландский гроссмейстер Джон Ван дер Вил (John Van der Wiel).

И все же, могла ли такая голодовка сдвинуть камень, которым нас придавило анонимное начальство? Мы об этом не узнаем, потому что на 20-й день моей голодовки, 10 ноября, произошло событие, резко изменившее ход советской политической жизни. Умер Брежнев.

Склеротичный режим Брежнева поддавался давлению, а пришедший на смену Брежневу председатель КГБ Юрий Андропов был более крепок. Не физически — генсеком он стал, уже будучи смертельно больным, — а верностью доктрине тоталитаризма.

Отношения с Америкой стали стремительно ухудшаться, особенно после того, как советские сбили южнокорейский пассажирский самолет и настаивали, что сделали это по праву.

В один из первых дней после смены советского лидера к нам приехал Толя Волович, ученый-химик и чемпион Москвы по шахматам 1967 года, со своим другом, прекрасным актером Андреем Мягковым. Толя тоже был отказником и присоединился к нашей голодовке в один из ее первых дней. Держал он голодовку в своей квартире.

Мы обсуждали: что делать с нашей голодовкой в новых условиях. Мягков резонно заметил, что мир, занятый сменой советской политики при новом лидере, о нас забыл, и нужно воспользоваться поводом — смертью Брежнева — и заявить о прекращении голодовки. Но что делать с двадцатью днями, которые я продержался? Они мне казались неким капиталом, мне было жалко его терять, и мы решили голодовку продолжить.

Конечно, Мягков был прав. Сообщения о нашей голодовке исчезли из передач западных радио. Приближался сороковой день голодовки, когда, как говорилось в книгах, которые мы проштудировали, организм начинает поглощать белок мозга. Я закончил голодовку на 38-й день. Аня голодала 21 день.

Мы признали, что кампанию проиграли. Ни демонстрация, ни голодовка ничего не дали. Битва проиграна, война продолжается.

7. Годы безвременщины

В один из последних дней голодовки к нам на квартиру приехал Михаил Бейлин, заместитель начальника управления шахмат, и от имени председателя Спорткомитета СССР сообщил нам, что мы по-прежнему можем принимать участие в соревнованиях. В эти дни начинался 43-й чемпионат СССР по шахматам среди женщин в Таллине. Мы были подавлены неудачей с голодовкой, были рады возможности покинуть Москву и решили поехать в Таллин — один из самых приятных и наименее советских городов в СССР. Аня ехала играть, я — ее тренером.

В книгах, похоже, писали правду, что голодовка прочищает мозги. Аня играла хорошо. Решающей в турнире должна была стать ее партия с Наной Иоселиани. В несколько худшей для себя позиции Иоселиани на 38-м ходу просрочила время, и ей в соответствии с правилами было зачтено поражение. В нервной обстановке соревнований спортсмены иногда ведут себя сомнительно... Помня о политическом статусе Ани, Иоселиани написала в Москву в Спорткомитет жалобу. Наверное, жалобу на шахматные часы.

Через неделю в Таллин пришел приказ возобновить партию с 38-го хода. Приказ был явно абсурдный, он шел вразрез с правилами. Назывался он: «Решение Всесоюзной коллегии судей». Особенно забавным был в нем пятый пункт: обсудить данный случай на Всесоюзной коллегии судей. Так чей же был приказ?

Впрочем, приказ был подписан начальником управления шахмат гроссмейстером Николаем Крогиусом и заместителем председателя федерации шахмат СССР гроссмейстером Юрием Авербахом.

Это был интересный, типично советский феномен. Я почти уверен, что инициатива такого беззакония принадлежала самим означенным гроссмейстерам, хорошо знакомым с правилами шахмат, а не гэбэшным или партийным властям. Работники такого уровня полагали, что подлость входит в круг их служебных обязанностей. Хотя, может быть, так оно и было, может быть, и входила. Конечно оба, и Крогиус, и Авербах, сотрудничали с КГБ. О сотрудничестве Авербаха с КГБ писал в одной из статей Корчной. О Крогиусе это было ясно и без Корчного.

По социальному статусу оба гроссмейстера принадлежали к интеллигенции, а Авербах принадлежал и по существу писал неплохие статьи об истории шахмат. Как-то, когда я с ним еще разговаривал, я спросил его, не является ли он родственником известного литературоведа Леопольда Авербаха. Юрий Авербах выразительно посмотрел на меня и ничего не ответил. Понимал, что нужно стыдиться гонителя хороших писателей.

Крогиус принадлежал к интеллигенции только формально. Он был доктором психологических наук, но его «научные» работы носили анекдотичный характер. Так, в одной из книг он писал о своем «открытии»: если оба шахматных партнера хотят сделать ничью, ничейный результат вероятен. Одно его произведение я прочитал до конца. Это было письмо в газету «Правда». Во время «всенародного обсуждения новой конституции СССР», которая, все знали, соблюдаться не будет, Крогиус предлагал вставить куда-то там в этот потешный документ «и психологическая подготовка».

Оба гроссмейстера владели искусством прожить жизнь безбедно при коммунистах. Служить не за совесть, а, наоборот, без совести. Это был единственный путь, суливший легкую жизнь представителям творческой интеллигенции. И шли им многие, даже талантливые люди.

Конечно, Аня отказалась нарушать шахматные правила, не стала доигрывать уже закончившуюся партию, и ей присудили вместо победы поражение. В конце она отстала от Иоселиани на очко. Если бы не нарушение правил через три с половиной года на московской таможне, где кагэбэшники украли все наши медали, они украли бы на одну золотую медаль чемпиона СССР больше.

Конечно, мы написали протесты в федерацию шахмат и в Спорткомитет. После турнира к нам домой стал приезжать заместитель начальника Управления шахмат Крогиуса по воспитательной работе — появилась к тому времени и такая должность — Малышев, и передавал какие-то невнятные ответы. Похоже, он стыдился своей миссии. Однажды Малышев передал нам приглашение присутствовать на заседании шахматной федерации СССР, на которой должен был рассматриваться наш протест.

Мы явились на заседание федерации. Участвовало в нем довольно много какого-то народа. Были там и два гроссмейстера — Лева Полугаевский и Юра Балашов. Когда обсуждался наш протест, гроссмейстеры пристально смотрели в стол.

Обсуждение проходило так. Авербах долго что-то кричал, я не мог понять что. В какой-то момент он посмотрел на меня и наконец-то членораздельно заявил:

— Вы хотите прецедент?

Никакого прецедента я не хотел.

— Вот вам прецедент, партия Хюбнер—Петросян!

Происшествие, помянутое Авербахом, было широко известно. На олимпиаде в Скопле в 1972 году Петросян в партии с Хюбнером (Huebner) просрочил время и с досады швырнул шахматные часы на пол. Только в чем заключался прецедент?

В этот момент председатель федерации, выглядевший смыленным мужиком, летчик-космонавт Виталий Севастьянов, пресытившись нелепостью ситуации, заявил, что обсуждение нашего протеста переносится на следующее заседание федерации. Так мы и покинули это странное разбирательство, не проронив ни слова. А через несколько дней к нам в Строгино опять явился Малышев и сообщил, что федерация приняла решение не обсуждать наш протест без объяснения причин. Как гласит известная театральная фраза, о чем говорить, когда не о чем говорить.

Тем не менее мы попытались сделать историю о похищении у Ани золотой медали максимально известной.

Ее описали многие американские газеты, включая New York Times. Помню журналиста из Los Angeles Times Тони Барбьери у нас на квартире, пережимающего шахматные часы и пытающегося понять мои объяснения, как они работают и что же произошло.

Роль журналистов из западных газет и работников американского посольства, с которыми мы общались, была в нашей жизни чрезвычайно велика. Гласность, которую они обеспечивали, являлась нашей единственной защитой в противостоянии с организацией, которой, история показала, по силам и уничтожение миллионов людей, и ссылка целых народов. Посольства и корпункты западных информационных агентств и газет находились в Москве, так что московские отказники были в лучшем положении, чем наши периферийные собратья. Конечно, когда КГБ устраивал провокации евреям-отказникам вне Москвы, информация быстро находила путь в столицу и через московских отказников на Запад. Все же московские отказники могли себе позволить заметно больше.

Конечно, активная борьба за выезд привела в тюрьму за годы нашего отказа и москвичей: Анатолия Щаранского, супругов Слепак, Иду Нудель, Виктора Браиловского, Иосифа Бегуна, Бориса Чернобыльского, Володю Бродского. Но, по крайней мере, в Москве нужно было сделать больше, чтобы попасть в заключение, чем на периферии.

Особой гнусностью нравов был известен тогда украинский КГБ. Так, киевлянина Володю Кислика, ученого-ядерщика, КГБ жестоко избил, а потом, в марте 1981 года, засадил в тюрьму на три года за нападение на женщину, которую Володя впервые в жизни увидел только в зале суда. О таких провокациях в Москве я не слышал.

История Володи Кислика оказалась связанной с моей семьей. Бэлла, моя сестра, опекала Кислика в годы его заключения, а когда весной 1984 года его освободили, вышла за него замуж и переехала к нему в Киев. Позже они перебрались в Москву. Отпустили Бэллу и Володю только весной 1989 года. Поселились они в Иерусалиме, где Кислик, после семнадцати лет отказа, сумел восстановить свой научный уровень и стать профессором Иерусалимского университета.

Важной группой поддержки отказникам были частые визитеры, засылаемые еврейскими организациями западных стран. Они завозили книги, которые по прочтении передавались следующим читателям, вещи, поддерживавшие унылый быт отказников. И главное, эти люди представляли духовную свободу, почти не известную в СССР субстанцию.

Бесправные, затравленные отказники на годы, а то и на десятилетия оторванные от своей профессиональной жизни, чувствовали себя как отстраненная от своих супружеских обязанностей гаремная жена. Мы не могли, как прочие граждане СССР, удовлетворять потребности коммунистической власти. И в то же время гэбэшные евнухи не давали нам покинуть свой советский гарем. Пройдет полтора десятка лет, и эти гэбэшные евнухи, как случалось не раз в древних сатрапиях, захватят в стране власть.

И вот в этом мире отчаяния появлялись свободные люди. На меня произвела большое впечатление встреча на квартире нашей приятельницы с двумя религиозными еврейскими студентами из Англии. Выслушав сетования московских евреев на тяжесть отказнической судьбы, один из них сказал нам:

— Вы не понимаете — это не вы прикованы к стене, это стена прикована к вам. Вы же можете заниматься духовным совершенствованием. Это означает, что вы — свободные люди. Давайте лучше, чем обсуждать вещи, от нас не зависящие, я вам объясню проблемы написания буквы «ламед» в священных еврейских текстах.

Студент взял со стола салфетку и стал на ней рисовать, объясняя различия в школах написания буквы «ламед».

Я долгое время после этой встречи пытался осознать ощущение свободы, излучавшееся этим «ешива-бохером».

Наша борьба за выезд проходила вне всякой гармонии с организацией, занимавшейся защитой государственной безопасности СССР. Некоторые действия КГБ относительно нас были откровенно глупы.

Когда Аня в Таллине боролась за звание чемпионки СССР, а я ей в этом помогал, наш трехлетний сын Давид жил у моих родителей. Через несколько дней после нашего отъезда моя сестра Бэлла повезла Давида в поликлинику, к которой мы были приписаны. Поликлиника находилась рядом с нашим домом, в полутора часах езды от квартиры моих родителей. После посещения поликлиники Бэлла решила зайти в нашу квартиру погреться. Не тут-то было. К немалому ее удивлению, все окна и балконная дверь, а также почему-то и дверцы всех шкафов в нашей квартире были открыты, по квартире гулял ледяной декабрьский ветер, и летала какая-то птица. Тут я КГБ не переоцениваю — птица наверняка залетела сама. Окна закрыть было несложно. Труднее было изловить птицу. Глупое существо забилось под газовую плиту, где ее и настиг наш сын. После этого на балконе он освободил невольную соучастницу гэбэшной провокации.

В следующий раз Бэлла и Давид приехали в нашу квартиру в день моего с Аней возвращения из Таллина. Бэлла планировала приготовить нам обед. На этот раз окна были закрыты, зато ванная комната и кухня были затоплены водой. Так как краны везде были закрыты, готовившие квартиру к нашему возвращению, наверное, работали ведрами. Или залили квартиру, а потом закрутили краны.

Бэлла нашла у нас для себя и для Давида резиновые сапоги и стала вычерпывать воду. Вооружившись маленькой баночкой, Давид принялся помогать ей.

Когда они закончили свою мокрую работу, появились два мужика и предложили, что за 70 рублей они могут не раздувать скандал, связанный с безобразиями в нашей квартире, когда в опасности оказалась и квартира этажом ниже. В этот момент, вспоминает Бэлла, из лифта появился я. Узнав, в чем дело, я завопил на мужиков: «Вон отсюда, провокаторы!» — и те моментально последовали моему призыву. Дача взятки «должностным лицам», конечно, украсило бы мое досье в КГБ.

Видно, реагировать со всей своей мощью на наши демонстрацию и голодовку гэбэшникам не позволили, и те пустились на мелкие пакости.

Между тем администрация нового генерального секретаря КПСС вырабатывала новый подход к проблеме отказников. В нем была видна попытка решать проблемы методами, следующими из логики КГБ, родного дома Андропова. Мы столкнулись с этим новым подходом воскресным утром в конце лета 1983 года.

В тот день мы ждали гостей. Никакого особенного мероприятия не намечалось. Случалось, в нашей квартире устраивались и сеансы одновременной игры для отказников, и лекции по еврейской истории или религии. В такие дни мы снимали в комнатах двери и использовали их как скамейки, нашу нехитрую мебель переносили из двух комнат в одну. В тот день ничего подобного не планировалось — обычные гости.

С утра к нам приехал наш приятель Борис Постовский. В годы перестройки он станет чрезвычайно успешным тренером сборной СССР. Успеет Борис побывать и тренером сборной США. В то утро Борис приехал посмотреть шахматные книги, которые мы намеревались продать.

Неожиданно раздался звонок в дверь. В наших краях не существовало обычая перед визитом звонить по телефону, поскольку телефона у нас не было. Явились неожиданные посетители — недавно назначенный заместителем председателя Спорткомитета СССР Гаврилин и гэбэшник, представившийся Ивановым. Он бы мог представиться и Петровым. На то она и секретная полиция, чтобы ее работники скрывали свои имена.

Постовский укрылся от нежданных гостей на балконе, а мы увели тех для беседы в детскую комнату.

Заместитель министра — это ранг Гаврилина — был весьма любезен и сообщил, что не в его власти отпустить нас. Но он хочет нормализовать нашу жизнь и устроить нас на работу. Спортсмены нашего уровня, как и мы до подачи документов, получали в СССР «стипендии». Это было государственной тайной, которую все знали, а деньги спортсменам переводились через первый отдел — отдел КГБ, который существовал при всех спортивных обществах. Нам, конечно, Гаврилин предлагал обычную работу. Гэбэшник Иванов всю беседу промолчал.

Потом, несмотря на вежливые протесты, я отправился проводить гостей до лифта. Там меня удивил дежуривший у лифта милиционер. Постовский, узнав о милиционере, решил немедленно ретироваться. Он был остановлен и допрошен: кто он и откуда. Борис, сославшись на отсутствие с собой документов, выдал себя за члена Московской шахматной федерации Трунцевского. Трунцевскому КГБ не был страшен — тот умер за месяц до засады, установленной у нашей квартиры Гаврилиным.

Довольный своей находчивостью, Постовский отправился домой. Но ребята из КГБ не зря получали зарплаты. На следующий день после засады Постовскому позвонил работник Спорткомитета полковник КГБ Кулешов. Я не знаю структуры Спорткомитета СССР — был ли там специальный отдел КГБ, или работники сей организации были приписаны к отделам разных видов спорта. Было, наверное, и то и это. Известно, что Кулешов работал с шахматистами. Он потребовал, чтобы Постовский явился в главное здание КГБ на Лубянке и написал объяснение к событиям предыдущего дня.

Вскоре после бегства из нашей квартиры Постовского к нашим дверям подвезли телевизионную пушку, и, когда стали прибывать ожидавшиеся нами гости, их перед тем, как прогнать, фотографировали. Нас же весь тот день не выпускали из квартиры. Как я понимаю, КГБ хотел продемонстрировать нам и свою заботу, и власть. С властью у них, надо сказать, получалось лучше, чем с заботой.

Через несколько дней после описанного домашнего ареста я отправился к начальнику конторы спортобщества «Локомотив» Рязанской железной дороги, которому поручили меня трудоустроить. Я выяснил тогда, что каждое из многих направлений железных дорог, ведущих к Москве, имело свою контору спортивного общества — немереное количество контор и дармоедов.

Во время перестройки, в период поисков нормальности, все спортобщества со всеми этими конторами упразднят.

Молодой мрачный малый, похоже, не был рад моему визиту. Над креслом в его кабинете висел плакат PLO — Организации освобождения Палестины — террорист с ружьем. Где он взял этот плакат? Ни до этого, ни после я в Москве плакатов PLO не видел.

Мрачный малый предложил мне работу по проведению производственной гимнастики в различных подразделениях огромного Казанского вокзала. Ругая себя, что тащился к этому поклоннику Арафата через всю Москву, я отправился домой.

У Ани дела сложились лучше. В шахматном клубе при конторе «Локомотива» Московской области ей предложили заниматься ее любимым делом — учить детей шахматам.

Видимо, в нашем досье хранилась запись, что я в нашей семье представляю злое начало, а Аню, имеющую в паспорте запись «русская», еще можно спасти для советского режима. Им пришлось дожидаться наших демонстраций 1986 года, чтобы увидеть, кто из нас хороший, а кто плохой.

В какой-то момент, в конце осени 1983 года, КГБ предпринял попытку поссорить нас. Аню пригласили в Центральный шахматный клуб СССР, и его очередной директор, какой-то отставник, сказал Ане, что он хочет предложить ей давать сеансы одновременной игры. Сеансы были неплохим заработком, и по этой причине лекционное бюро Центрального шахматного клуба, ведавшее сеансами, было местом коррупции. За возможность давать сеансы нужно было платить взятки.

Аня на сеансы, конечно, согласилась. «Да, тут вам на наш адрес пришло письмо, — сказал Ане отставник и протянул ей конверт. В этот момент его кто-то позвал из комнаты. — Подождите, я сейчас вернусь», — сказал директор клуба и вышел.

Аня вскрыла конверт и прочла в письме, что во время недавнего участия в полуфинале первенства СССР я «затеял дешевый провинциальный роман» и разбил намечавшуюся свадьбу другу автора письма. Аня рассмеялась столь дешевой провокации и тут заметила, что директор уже вернулся и наблюдает за ее реакцией. Больше тому сказать Ане было нечего.

Никаких сеансов Аня, конечно, не получила.

Занятную промашку дал КГБ в том же 1983 году. На экспозиции в Центральном выставочном зале художников на Кузнецком Мосту, посвященной Всесоюзной Спартакиаде народов СССР и спорту, красовалась картина «Поединок». На картине была изображена Аня, сражающаяся на огромной шахматной доске с монстрами. С какими монстрами Аня тогда сражалась, было хорошо известно.

Автором картины была чудесный художник Ителла Мастбаум, жена моего друга Феликса Фильцера. Сейчас они живут в Израиле в поселении Долев рядом с семьей моей сестры Бэллы.

Вот что странно: наши с Аней имена в ту пору вымарывались. В вышедшей тогда книге, посвященной шахматным первенствам Москвы, годы, когда чемпионами становились я среди мужчин или Аня среди женщин, просто не упоминались. А портрет на выставке в центральном зале Москвы КГБ проморгал.

8. Игры вокруг шахматной доски

Между тем в шахматном мире происходили бурные события. Летом 1983 года в Лос-Анджелесе должен был состояться полуфинальный матч претендентов Каспаров—Корчной. Победитель этого матча (ожидалось, что им станет Каспаров) в конце 1984 года должен был оспорить титул чемпиона мира у Карпова. И тут мир стал свидетелем очередной великолепной нешахматной комбинации Анатолия Карпова.

Гениальный бакинский мальчик Гарик Каспаров чуть ли не с младенчества готовился к борьбе за шахматную корону. Ментором у него был великий Ботвинник. Видимо, по совету Ботвинника, — помните, как тот сказал нам: «А вы дайте вашему сыну фамилию матери», 12-летний Гарик, через пять лет после смерти своего отца Кима Вайнштейна, поменял отцовскую фамилию на материнскую. Русифицированная армянская фамилия для уха советского начальника звучала определенно лучше еврейской. Уже в 19 лет Гарик вступил в коммунистическую партию. Всем этим он пытался показать, что готов на роль нового любимого сына партии. Увы, сердце партии уже было занято.

К сожалению, ни Гарика, ни до него Ботвинника их отцы по разным причинам не познакомили с этическим учением евреев — «Пиркей Авот» («Поучения Отцов»), в котором говорится (гл. 2): «Будьте осторожны с властями, ибо они приближают к себе человека лишь для собственной выгоды, прикидываются друзьями, когда им это на руку, но не заступятся за человека в тяжелое для него время». Незнание Гариком этого поучения и решил использовать Карпов, и сам, строго говоря, следовавший не «Пиркей Авот», а другой этической системе.

Отношения Советского Союза и США в ту пору были неважными. В 1980 году американцы бойкотировали Московскую олимпиаду, в 1984 году Советы пробойкотируют Лос-Анджелесскую. Советское начальство предложило Каспарову отказаться от игры в Лос-Анджелесе, пообещав защитить в дальнейшем его права. Каспаров позже в книге «Мои великие предшественники» (том 5) о мотивах этого начальства напишет, что они «преследовали одну цель: сделать все, чтобы Каспаров не дошел до Карпова». Каспаров пишет: Карпов «пригласил меня к себе домой, и мы обсудили ситуацию наедине». То есть Карпов участвовал в интриге лично, так же как три года до этого через моих друзей сливал мне гэбэшную дезинформацию.

Я слышал от Каспарова, будто ему было обещано, что советская федерация скорее разрушит ФИДЕ, чем даст в обиду своего молодого героя. Вероятно, двадцатилетнему Гарику казалось, что, участвуя в советской политической кампании, он вступает в ряды любимых сыновей...

Мне контуры интриги против Каспарова представлялись ясными, и я попробовал вмешаться. Через общих знакомых я нашел бакинский телефон Каспарова и вручил его московскому корреспонденту New York Times Сержу Шмеману. Достаточно было Гарику сказать американскому журналисту, что он, Гарик, с ужасной неохотой, но все же готов ехать в кошмарный город Лос-Анджелес, и вся интрига рассыпалась бы. Увы, старческий женский голос, видимо, бабушки Гарика, ответил Шмеману, что Каспарова в Баку в эти дни нет.

Не явившемуся к началу матча в Лос-Анджелес Каспарову было засчитано поражение. Гарик отправился к начальнику отдела агитации и пропаганды ЦК КПСС Стукалину, сменившему на этом посту усланного Андроповым послом в Румынию Тяжельникова, выяснять, как СССР будет раскалывать ФИДЕ и защищать его. Как я слышал от Гарика в 1988 году, во время шахматной Олимпиады в Салониках, Стукалин, неожиданно перейдя на «ты», заявил молодому претенденту: «Молод еще. Подождешь три года».

Представляю себе ощущения Каспарова. Кому жаловаться — ведь он сам отказался от матча? А любовь, во имя которой была принесена жертва? Любви партии-гегемона он так и не дождался.

И тут Гарик смог убедиться, что любовь небес куда важнее, чем любовь властей. Происходит невероятное. Смертельно больной Андропов неожиданно возвышает на позицию второго человека в государстве, члена политбюро и первого заместителя премьер-министра своего коллегу по цеху, бывшего начальника КГБ Азербайджана, первого секретаря компартии Азербайджана Гейдара Алиева. Бакинский человек неожиданно перевешивает карповских людей в советской иерархии — секретаря ЦК Зимянина, каких-то шишек в КГБ.

Алиев приказывает: удовлетворить все претензии Корчного и спасти матч.

Корчной поступает благородно и, несмотря на то что ему уже была присуждена победа в матче, соглашается играть с Каспаровым. Взамен он хочет окончания бойкота в турнирах, которому его подвергал Спорткомитет СССР. С момента бегства Корчного в 1976 году Спорткомитет не разрешал советским гроссмейстерам играть с беглецом в одних турнирах. Корчной хочет получить из Ленинграда свою шахматную библиотеку, хочет материальную компенсацию.

На этом моменте мое повествование могло бы и закончиться. Корчному звонит из Нью-Йорка молодой американский гроссмейстер Дима Гуревич и спрашивает, не включил ли Корчной в список, о котором стало известно шахматному миру, семью Бориса Гулько.

— Вы правы, — ответил Корчной, — я совсем забыл. Я должен был включить и их. Но теперь, когда я уже назвал свои условия, мне неудобно их менять.

Так «хорошие манеры» Корчного в общении с советскими властями продлили наше пребывание в СССР на два с половиной года.

9. Московские диссиденты

Активные отказники делились на две группы по их отношению к советским диссидентам. Одни говорили, что, так как мы хотим покинуть СССР, неправильно вмешиваться во внутренние советские дела. Другие считали, что раз нас вынуждают здесь жить, мы должны вместе с диссидентами протестовать против беззаконий, творимых властями.

Я понимал резоны первой группы, но принадлежал ко второй. Правда, диссидентство в СССР к 1982 году было в большой степени разгромлено. Одни диссиденты сидели по тюрьмам и психушкам, другие были выпихнуты за границу.

Я думаю, разгром диссидентства, осуществленный КГБ, оказался величайшей бедой России. После смерти коммунизма в конце восьмидесятых, когда Чехословакию возглавил блистательный Вацлав Гавел, а Польшу — Лех Валенса, в России не нашлось другого лидера, как бывший первый секретарь обкома партии. Естественно, коррупция стала нормой жизни при таком лидере. Разгром диссидентства в итоге привел к власти в 2000 году, когда президентом России стал Владимир Путин, сам КГБ.

После высылки из Москвы академика Сахарова в январе 1982 года, с которым я не успел познакомиться, эмиграции Владимова и других тяжелых ударов по правозащитному движению, основными диссидентами в Москве остались пожилые женщины. Их тащить в кутузку КГБ, видимо, стыдился.

С Еленой Георгиевной Боннэр, женой Сахарова, я познакомился на процессе Ивана Ковалева в апреле 1982 года. На суд Ковалева мы пришли с моим другом отказных лет Валерием Сойфером.

Отец Ивана, один из виднейших правозащитников Сергей Ковалев, уже находился в заключении, а теперь КГБ, подчищая ряды диссидентов, отправлял в тюрьму и сына. Залы заседаний на таких процессах заполнялись «представителями общественности» из КГБ, а друзья судимых выражали свои чувства за стенами суда.

Способ выражения этих чувств был один — помахать осужденному (оправданных в советских судах не бывало), когда того выводили из здания суда, прокричать ему что-нибудь. Задачей КГБ было, соответственно, не дать нам этого сделать. Вывести осужденного из суда могли через парадный вход или через черный — с другой стороны здания. Мы стояли перед главным входом. Неожиданно гэбэшник из стоявших у входа показал нам пальцем так, чтобы не видели его «коллеги», на черный ход. Мы побежали и успели помахать Ковалеву. Я слышал про гэбэшников, симпатизировавших правозащитникам. Один из них даже был осужден за помощь диссидентам. Похоже, такого типа парня мы видели и у здания суда.

В «группе поддержки» Ковалева находилась и Елена Георгиевна Боннэр, которая наезжала время от времени в Москву из Горького, где жила с ссыльным Андреем Дмитриевичем. После процесса Боннэр пригласила нас с Сойфером к себе в знаменитую квартиру Сахаровых на улице Чкалова.

Компанией жены академика были пожилые женщины, остатки диссидентской Москвы. Из разговоров я запомнил замечание Боннэр, что она — последняя жена в Москве, которая не выкидывает сносившиеся мужнины носки, а штопает их.

На квартире Сахаровых я познакомился с Марией Гавриловной Петренко-Подъяпольской, вдовой одного из создателей правозащитного движения в Москве — Григория Подъяпольского, умершего в возрасте 49 лет при загадочных обстоятельствах. Мария Гавриловна была активна в Солженицынском фонде помощи политзаключенным, сотрудничала в подпольной «Хронике текущих событий».

Как-то Мария Гавриловна предложила мне поехать с ней в Елец, где готовился процесс над диссидентом Михаилом Кукабакой. Мы отправились с ней в этот старый город, в котором вид интересных старинных зданий был сильно подпорчен какими-то красными полотнищами, навешанными на них.

Елец занимает особое место в российской истории. В 1395 году великий завоеватель Тамерлан, разгромив Золотую Орду, двинулся на Россию и дошел до Ельца. Удрученный увиденным в округе, Тамерлан повернул назад в благословенный южный Самарканд. Так затрапезность Ельца спасла Россию от свирепого завоевателя.

Здесь, в уездном городке, мой статус неожиданно вырос. Если в Москве я был бесправным отказником, то здесь я был человеком из столицы. Со мной вежливо, если не подобострастно, беседовали в адвокатуре, где я договаривался о защитнике для Кукабаки на процессе. Потом мы сдали две передачи для заключенного (вещевую и продовольственную — почему-то в разных местах) и благополучно отбыли домой.

Диссидентами другого рода были Василий и Галя Барац. Когда-то Василий и Галя были частью кондовой советской элиты. Вася служил офицером в Генеральном штабе, а Галя преподавала историю коммунистической партии в Московском университете. Но в 1977 году Барацы заявили о своем желании выйти из рядов коммунистической партии и эмигрировать из СССР по политическим причинам. Власти удовлетворили только первую часть их пожеланий. Так Барацы стали нееврейскими отказниками.

В своей комнате в общей квартире на Октябрьском Поле Барацы основали комитет за свободу эмиграции, состоявший из них двоих.

В этих людях меня поражало мужество. Они боролись с КГБ, не имея, в отличие от нас, поддержки еврейских организаций западных стран. Это была борьба двоих против системы.

В какой-то момент деятельность комитета за свободу эмиграции оказалась востребованной. Комната Барацев стала московским центром движения секты пятидесятников за эмиграцию из СССР. Пообщавшись с пятидесятниками, примкнули к ним и сами Барацы.

Пятидесятники были очень интересной сектой. Как я узнал от Барацев, пятидесятники следуют в своей жизни велениям каких-то своих пророков. И вот эти пророки повелели членам секты эмигрировать из СССР. Началась тяжелая мученическая борьба пятидесятников с властью, не отпускавшей так просто своих граждан. Мне страсти истязаемых КГБ пятидесятников напоминали страсти первых христиан в Римской империи. Члены секты, которых я видел у Барацев, представлялись мне людьми простыми. Поэтому, быть может, это удивительное явление — стремление к исходу из СССР целого религиозного направления — не нашло своего описателя.

Интересным было еще одно пророчество, о котором я тоже узнал от Бараца. Пятидесятникам было предсказано, что после смерти Брежнева в СССР будут недолго править два других правителя, потом придет третий хороший, все, кто хотел уехать, уедут, и «все закончится». Если «все закончится» означало распад СССР, то пророчество это целиком исполнилось.

В конце февраля 1986 года, уже в горбачевские времена, Василия Бараца упекли в психушку. В Москве проходил в те дни XXVII съезд КПСС, и КГБ постарался очистить столицу от нежелательной публики. А психбольницы были в ту пору, похоже, рядовым подразделением КГБ. Захотят, посадят в тюрьму, захотят — в психушку.

Уже после окончания съезда мы с врачом Володей Бродским отправились навестить Бараца. Это оказалось неожиданно просто. К нам в комнату для свиданий привели Василия. Тот рассказал нам, что психбольница на время съезда оказалась забитой битком. Люди спали и на столах, и под столами. Их не «лечили», то есть не делали калечащие нормальных людей уколы.

Вскоре Бараца выпустили. Но ненадолго. В апреле 1986 года Василий Барац поехал в Ровно поддержать своих собратьев по вере. Пятидесятники жили на окраинах империи — в Украине, в Сибири, в Прибалтике. В Ровно Василия арестовали.

Уже после окончания наших демонстраций я устроил у нас на квартире встречу Гали с Сержем Шмеманом из New York Times, на которой услышал рассказ о бедах Барацев. Галя предсказывала, что скоро арестуют и ее, и, к сожалению, оказалась права.

В 1987 году Барацев освободили из заключения. Что с ними сталось после этого, я не знаю. Надеюсь, что они добрались до Нового Света и были счастливы.

Между тем в феврале 1984 года окончательно умер долго помиравший Андропов, и генеральным секретарем сделали Константина Черненко. Этот, впрочем, тоже был смертельно болен. Стало казаться, что смертельная болезнь входит в число профессиональных требований, предъявляемых к главе супердержавы. Мне запомнилось появление Черненко на телеэкране в день выборов в Верховный Совет Российской Федерации. На главе государства был пиджак, но, очевидно, не было штанов — камера показывала Черненко по грудь. Больной сумел опустить бюллетень в урну, установленную, по всей видимости, рядом с его кроватью. Журналист спросил: «Константин Устинович, что бы вы хотели сказать советским людям?» Генеральный секретарь собрался с силами и произнес: «Пусть работают».

Во времена — или в безвременье — Черненко, в сентябре 1984 года, в Москве начался безлимитный матч на звание чемпиона мира между Карповым и Каспаровым — самое удивительное соревнование в истории шахмат. В матче, игравшемся до шести побед, одержанных одним из соперников, Карпов повел после 27 партий 5:0. Гарик напоминал с этого момента Индиану Джонса, сорвавшегося в пропасть, но в последний момент, зацепившегося за какую-то колючку. Кажется, эта колючка кандидата в чемпионы долго не выдержит. Но... проходит еще 21 партия. Счет уже 5:3...

Карпов, очевидно, измотан. Тут вступает в действие великая карповская политическая машина. Замысел — прервать матч на три месяца, после чего дать отдохнувшим соперникам завершить его. На уровне какой инстанции этот замысел дал сбой, я не знаю. Матч прерывают. На финальной пресс-конференции президент ФИДЕ Флоренсио Кампоманес объявляет матч «не закончившимся» и неожиданно назначает через год новый матч со счета 0:0. Конечно, это вопиющее нарушение правил. Но приемлемое, кажется, для обеих сторон.

И тут Каспаров встает — он сидел во время пресс-конференции в последних рядах зала — и идет к сцене. «Я протестую», — заявляет он. Каспаров отказывается играть в политические игры советского начальства. Похоже, это был протест не против ущемления его прав. Как-никак тает перевес Карпова в два очка. Это протест против всемогущества советской системы, которая может, кажется, назначить того чемпиона или этого, а может шахматиста и уничтожить. Это не просьба: «Выберите меня», — а отказ признать над собой власть советского начальства.

Происходит рождение Каспарова, которого мы знаем сейчас, — бунтаря и диссидента. Уходит в прошлое кандидат в новые любимцы партии.

По большому счету, этот момент стал концом чемпионства Карпова. Карпов привык побеждать в рамках советской системы. Каспаров на той памятной пресс-конференции из советской системы вышел.

Карпов попытался доказать, что в момент, когда матч остановили, он еще мог играть. Через неделю после памятной пресс-конференции Карпов отправился в Швецию играть в командном первенстве Европы за советскую команду. Не выиграв в соревновании ни одной партии, Карпов никому ничего не доказал. В ноябре 1985 года в новом матче Карпов потеряет звание чемпиона мира.

Во время первого матча Карпова и Каспарова у меня случился контакт с властью, открывший мне кое-что интересное в психологии общения КГБ и граждан страны, находящихся вне этой организации. Как-то я встретил отказника из «разъединенных семей», шахматного мастера Володю Пименова. Его не выпускали в Данию к жене-датчанке. Володя сказал мне, что познакомился на матче с американским журналистом, и тот выразил пожелание встретиться со мной.

— Так привези его к нам, — предложил я.

— Нет, твоя квартира прослушивается и просматривается КГБ, — ответил Володя. — Я не хочу «светиться» в таком месте.

Пришлось назначить свидание на улице. Мы встретились морозным декабрьским утром у какой-то подворотни на Проспекте Мира. Американским журналистом оказался Фред Вейцкин (Fred Waitzkin), который привез в Москву своего восьмилетнего сына Джошуа (Joshua) и тренера Джошуа, Брюса Пандольфини (Bruce Pandolfini), показать тем матч на первенство мира. Джошуа в тот год был чемпионом Соединенных Штатов в возрастной группе до восьми лет и считался вундеркиндом.

Мы постояли немного у подворотни. Москва была не тем городом, в котором можно было пообщаться с людьми в кафе или в ином публичном месте.

Я слышал от Гены Сосонко такую шахматную байку. Голландский гроссмейстер Ханс Рее (Hans Ree) и западноберлинский международный мастер Карл Леман (Karl Lehman) осенью 1978 года приехали в Киев играть в международном турнире. В первый же вечер они спустились в фойе гостиницы «Славутич», в которой жили, и спросили швейцара, куда бы им отправиться, чтобы приятно провести время. «Такая информация стоит денег», — ответил швейцар и, получив четыре западногерманские марки, открыл иностранцам секрет: «Вечером в Киеве пойти некуда».

Москва в ту пору не отличалась в этом отношении в лучшую сторону от столицы союзной республики и в дневное время, и я предложил Пименову:

— Может быть, все-таки поедем к нам?

— Хорошо, но машину мою поставим на другой улице, и к вам пройдем незаметно, — согласился Володя.

С параллельной улицы мы шли к нашему дому дворами между замерзшим бельем, вывешенным хозяйками для просушки на специальных столбах. О времени, проведенном нами в тот день с Вейцкиными и Пандольфини, желающие могут прочесть в превосходной книге Фреда Вейцкина «В поисках Бобби Фишера» (Searching for Bobby Fischer) и в его статье «Больше не пешки» (Pawns no more), целиком посвященной визиту к нам и опубликованной в конце 1984 года в журнале «Нью-Йорк» (New York). В известном фильме, снятом по книге Вейцкина, их поездка в Москву, к сожалению, не показана.

Рукопись статьи Вейцкина, завершенная в Москве, а также примечания к моим партиям, которые я надиктовал в тот день Пандольфини для американского шахматного журнала, постигла лучшая участь, чем мою статью, припрятанную в грязном белье Крисчиансена. Вейцкин, как он описывает в своей книге, пришел в американское посольство, которое в те годы размещалось на улице Чайковского, и сказал консулу, что он хотел бы переслать в Америку дипломатической почтой свою рукопись. «Никак невозможно», — ответил консул, показывая пальцем на стены, имеющие уши, а потом тем же пальцем на ящик стола, в который нужно положить рукопись.

Прошло совсем немного времени, недели три, и меня вызвал для беседы заместитель председателя Спорткомитета Русак. Понятно, Гаврилин был не единственным заместителем председателя столь важного государственного лица.

— Нам стало известно, что вы встречались с американским журналистом. И мы этим недовольны, — начал беседу Русак довольно сурово.

Я, рассчитывая, что он пригласил меня, чтобы сообщить, что нас решили отпустить, и поначалу никак не мог понять, о каком журналисте говорит заместитель министра спорта. Как я писал выше, мы часто встречались с западными журналистами, аккредитованными в Москве. Потом я понял. Поскольку я со своими американскими гостями пытался прошмыгнуть в наш дом незамеченными, КГБ решил, что я начал их бояться. А человека, который боится, нужно пугать. Поэтому я ответил довольно грубо: откуда он, Русак, взял, что меня волнует, нравится ли им что-либо в моих поступках или нет.

Поняв, что в его ведомстве произошло недопонимание, Русак перешел ко второй атаке: им не нравится то, что я говорил американскому журналисту и что попало в статью в журнале «Нью-Йорк». О таком журнале я не слышал.

— Может быть, это «Нью-Йорк таймс мэгэзин»? — вопрошал я.

— Нет-нет, это «Нью-Йорк», — отвечал замминистра, показывая на что-то лежащее перед ним.

Думаю, это был перевод статьи Вейцкина. Русак никак не выглядел человеком, владеющим английским языком.

— Покажите мне эту статью, и мы обсудим ее, — предложил я. Мне было любопытно посмотреть на неведомый мне журнал «Нью-Йорк».

— Нет, это никак невозможно, — отрезал Русак.

— Но если я не увижу журнал, то и обсуждать нечего. Я ведь не знаю, что там написано, — закончил я тему своего интервью Вейцкину.

Тут замминистра вновь вспомнил, что его задача — напугать меня.

— Если вы будете так себя вести, — вернулся он к цели беседы, — мы пошлем вас очень далеко.

— Это то, к чему я стремлюсь — быть от вас очень далеко, — неожиданно согласился я, нейтрализовав его угрозу.

— Но мы пошлем вас в другую сторону.

Последнее слово оказалось за Русаком.

В марте 1985 года умер Черненко, и генеральным секретарем ЦК КПСС стал Михаил Горбачев. Этот был определенно жив — большая разница с тремя полутрупами, правившими до него. Немного настораживала, правда, фраза министра иностранных дел СССР Громыко, который, представляя Горбачева друзьям по руководству Советским Союзом, сказал, что у Горбачева хорошая улыбка, но железные зубы. Зубы у Горбачева, как показала жизнь, оказались не такими уж железными.

Отказные годы были удивительным временем, когда глобальные события страны и мира имели прямое отношение к нашей частной жизни. Ввели советские вожди войска в Афганистан, рухнули отношения с Америкой, и почти закрылась лазейка еврейской эмиграции. Появился генеральный секретарь, смотрящий не в могилу, а вперед, в жизнь, и появилась надежда.

А тут еще в ноябре 1985 года Карпов потерял звание чемпиона мира, и щупальца, которыми он сжимал шахматный мир в СССР, должны были ослабнуть.

10. Новый штурм

В начале зимы 1985 года я узнал, кажется, из передачи какого-то западного радио, что 16 апреля 1986 года в Берне, во время сессии Совещания по взаимопониманию и сотрудничеству в Европе, намечено провести шахматный турнир «Салют Гулько». Организаторами этого мероприятия были выдающийся правозащитник Владимир Буковский, Лева Альбурт, в 1984 и в 1985 годах успевший выиграть два чемпионата США, и Эдик Лозанский, с которым я немного общался в мои студенческие

годы. Когда-то Эдик был школьным учителем моей со-
ученицы на факультете психологии Московского университета Наташи Власовой, сохранил с ней дружбу и
охотно участвовал в наших студенческих вечеринках.
Позже, когда Эдик эмигрировал, в Москве удержива-
ли его жену Таню с их дочкой, тоже Таней. Жена Таня
приходилась дочерью какому-то выдающемуся советскому генералу. Мы с ней вместе подписывали году в
85-м коллективные воззвания к Западу о положении
отказников. Последние годы Эдик развил в Вашингто-
не бурную политическую деятельность и незадолго до
описываемых событий вызволил свою семью.

Позже к организаторам мероприятия в нашу защиту присоединился молодой гроссмейстер, чемпион мира
среди юношей Максим Длуги. Максим родился в Москве и вырос в Нью-Йорке.

Паблисити, получаемое нами от акции в Берне, давало относительную защиту, и мы решились на крайнюю
меру. Мы видели, что советские власти легко переносят
наши голодовки. Они вынесли отдельную уличную демонстрацию в 1982 году. Мы решили начать выходить на
ежедневные демонстрации на одной из площадей Москвы до тех пор, пока нас не выпустят... или не посадят.
Нечего и говорить, отказная жизнь с вечным ожиданием
чего-то осточертела нам до предела.

Мы рассуждали, что новый глава государства показывает свои «железные зубы» пока что лишь в борьбе
с российской национальной болезнью — повальным
пьянством; тогда шла всесоюзная кампания против
этого главного народного времяпровождения. Карпов,
принимавший участие в решении нашей участи после
подачи нами заявления на эмиграцию, лишился титула
чемпиона мира и, видимо, части влияния. Да за семь лет
отказа и угроза, представляемая нами Государственной
безопасности СССР на шахматной доске, конечно, сни-
зилась. Мне уже не 32, а 39...

И самое главное, выведшее нас на площадь не в 1979
или в 1980 году, а в 1986-м, — это духовный путь, прой-
денный нами за семь отказных лет. Помните, как учил
нас молодой эксперт в написании буквы «ламед» из Англии, что «не мы прикованы к стене, а стена прикована

к нам?» Мы стали свободными людьми. И решили вести себя как таковые.

Опять, как перед нашей первой демонстрацией, мы разослали письма во все мыслимые инстанции, сообщая, что с 10 апреля 1986 года мы начинаем проводить на Арбатской площади Москвы, около памятника Николаю Васильевичу Гоголю, ежедневные демонстрации протеста против отказа властей дать нам разрешение покинуть СССР. По субботам, в еврейский шаббат, демонстрации проводиться не будут. Моссовет мы просили дать нам официальное разрешение на проведение демонстраций. Спортивные и шахматные организации мы приглашали прийти на площадь и поддержать нас в борьбе за наши законные права. А КГБ мы могли бы напомнить проследить, что все вышеперечисленные организации своевременно им настучат. Но КГБ, наверное, проследил за этим и без наших советов.

Конечно, во всем этом была насмешка над потешным документом — Конституцией СССР, гарантировавшей нам свободу демонстраций. Но если бы граждане СССР имели право на публичный протест, они были бы свободными гражданами. И это был бы уже не Советский Союз.

Чтобы придать больше публичности предстоящим демонстрациям, я решил организовать на время XXVII, как выяснилось позже, предпоследнего, съезда КПСС в конце февраля — начале марта 1986 года массовую десятидневную голодовку протеста. Я предложил идею старой отказнице Наташе Хасиной. Идея нашла живой отклик. 24 февраля, накануне открытия съезда, мы провели пресс-конференцию. Кроме меня в голодовке участвовали еще один парень и шесть или семь женщин. На этот раз мы дома решили Аню голодовкой не мучить.

Приятным сюрпризом стало участие в нашей пресс-конференции двух групп западных телевизионщиков. КГБ не заблокировал квартиру, в которой мы собрались. А ведь могли бы...

Что-то менялось в воздухе...

По моему самочувствию три голодовки, в которых я участвовал, заметно отличались одна от другой. В этой, последней голодовке, я отвратительно себя чувствовал на пятый и шестой день и замечательно — на девятый и десятый. Мне даже не хотелось прекращать голодать, но мы объявляли о голодании только до окончания съезда.

На нашу заключительную пресс-конференцию опять приехали западные телевизионщики. Они могли бы запечатлеть, что отказницы, голодавшие вместе со мной, заметно похорошели. У них не только улучшились фигуры и цвет лица. У дам появился блеск в глазах. Я догадывался, что это был голодный блеск.

Между тем стремительно приближалось 10 апреля — объявленный день нашей первой демонстрации. У меня еще теплилась надежда, что власти нас выпустят до этой даты. В самом деле — зачем им нужны были наши демонстрации? Посадить нас они могли не раз и до этого. Выпустить в результате демонстраций — унижение для них, да и дурной пример для окружающих. Определенно, если бы я мог поговорить с людьми, владеющими нашими жизнями, я бы убедил их отпустить нас немедленно. Ужас нашей ситуации заключался и в том, что наши судьбы решали не люди, а фантомы. КГБ, коммунистическая партия — кто это? Кто конкретно был нашим тюремщиком?

9 апреля вечером к нам приехала наша знакомая, давняя отказница. Она сказала, что поговорила со знающими людьми, американцами, журналистами — нам выходить на демонстрацию нельзя. Поломают руки-ноги, посадят. Но мы уже были полны боевого духа и рвались в бой.

На следующее утро мы попробовали повторить наш трюк из 1982 года. Мы покинули нашу квартиру в пять утра. Стоял густой туман. Возможно было что-нибудь рассмотреть лишь в радиусе одного метра вокруг себя. И вот в эти два крошечных круга, когда мы двинулись от нашего подъезда, все время проникали еще две человеческие фигуры. Мы дважды обошли наш дом и поняли, что от преследователей нам не оторваться. Что же, будем знать — дважды повторить с ними одну уловку не получается. Мы вернулись в нашу квартиру и доспали недоспатое.

В три часа пополудни у памятника Гоголю нас поджидали три команды западных телевизионщиков. Их, видимо, занимал вопрос — допустит ли Горбачев в Москве демонстрацию протеста. Без пяти три мы с Аней поднялись на поверхность из метро «Арбатская-кольцевая» и двинулись к месту демонстрации. Мне казалось, что издалека я уже видел людей, поджидавших нас у памятника. Но тут, у кинотеатра «Художественный», нас неожиданно окружила большая группа мужчин, и дородный майор милиции предложил нам предъявить документы. «Выяснилось», что мы с Аней как две капли воды походили на преступников, которых они разыскивают, и мы должны пройти с ними в отделение милиции для опознания. Началась тягомотная перебранка, но было ясно, что к памятнику пройти нам не дадут.

Я обратил внимание на мелкого вертлявого человека, который двигался по периметру толпы, окружившей нас, и отдавал блокерам какие-то распоряжения. Показав на него широким жестом, я внезапно закричал: «Этот человек из КГБ!» Случилось неожиданное — мелкий человек, на которого я указывал, пустился наутек.

Это дало нам важнейшее наблюдение. Гэбэшники были всесильны. Они, как показывала жизнь, могли делать с гражданами что хотели. Но каким-то правилам должны были подчиняться и они. Так, их принадлежность к «организации» не должна была раскрываться публично.

После долгих препирательств мы поплелись с нашими похитителями к милицейской машине. Мы провели в милиции следующие девять часов. Но дважды после ареста нас перевозили в новое отделение. По закону, они имели право задерживать нас без объяснения причины только на три часа. И они обходили этот закон, оформляя каждые три часа новое задержание. Игра их в следовании правилам была нам интересна, было над чем подумать.

В третье отделение милиции, в котором мы побывали в тот день, находившееся где-то на Пресне, для беседы с нами прибыл уже упоминавшийся полковник КГБ Кулешов. Он сообщил, что привез нам послание от председателя Спорткомитета СССР товарища Грамова.

Меня это послание не заинтересовало, но я попросил Кулешова передать послание Грамову: «мы будем выходить на демонстрации, пока нас не отпустят».

Результаты первого дня кампании были двоякими. С одной стороны, нас не посадили. Наверное, санкции на это у них пока нет. Но и демонстрацию провести не дали. Похоже, КГБ готов хватать нас ежедневно по дороге к памятнику Гоголю. Нужно было искать новый ход.

На следующий день нас задержали ближе к дому — на входе в метро «Щукинская». Но теперь мы не препирались. Мы начали вопить. Я кричал: «Вы из КГБ! Вы хватаете меня, знаменитого гроссмейстера Бориса Гулько, потому что я хочу провести демонстрацию протеста, что нас не отпускают в Израиль!» Что кричала Аня, я не слышал, так как кричал очень громко. Мне показалось, что, не ожидая такой реакции, гэбэшники поначалу опешили. Но ненадолго. Они скрутили нас и поволокли в комнату милиции, удобно оборудованную за кассами. Я, естественно, не видел волокущего меня, но я видел гэбэшника, волокущего Аню. У того были глаза убийцы, налитые ненавистью.

К тому времени мы стали различать гэбэшников, работавших с нами. Многие получили прозвища. Этот, волочивший Аню, так и назывался Убийца. Был среди них Марлон Брандо, импозантный мужчина в широкополой шляпе, была Домохозяйка с сумкой для похода по магазинам.

Вообще же, всякий раз, когда мы выходили из дома, к нам пристраивались две бригады с Лубянки. Каждая бригада состояла из четырех человек: один мордоворот, вроде упомянутого Убийцы, способный одним ударом прикончить человека средней комплекции, два смышленого вида паренька, сегодня, наверное, владеющие банками, и водитель автомобиля. Самым удивительным в этих бригадах были автомобили, преследовавшие нас, — на них совершенно не было номеров! Видели ли вы когда-нибудь, чтобы по Москве разъезжали автомобили без номеров?

Напрашивается объяснение: таким странным видом своего транспорта они, возможно, хотели нас напугать. Автомобиль без номеров наедет, — никто не поймет, кто наехал. Запихнут в такой автомобиль и увезут, — никто не догадается, куда увезли.

Но, я думаю, правильнее другое объяснение. Месяца за два до нашей кампании успешную операцию по освобождению своей семьи провел ученый-физик Армен Хачатурян, отказник нашего призыва 1979 года. Армен со своим сыном держали голодовку во время конгресса физиков в Москве. При этом они были активны среди участников конгресса. Конечно, КГБ преследовал их по пятам. В какой-то момент Хачатурян написал в ЦК партии жалобу на КГБ, преследующий их, и привел номера гэбэшных машин, следовавших постоянно за ними.

Это была типичная советская шутка — пожаловаться партии на КГБ. Но тем не менее гэбэшники могли после этого снять номера, чтобы эти номера нельзя было записать.

Конечно, объяснение дурацкое. А что, много умнее разъезжать по Москве в машинах без номеров?

Одного я не мог взять в толк: почему их не останавливает милиция? Видимо, их машины имели какие-то другие опознавательные знаки.

Начиная со второго дня демонстраций, задержание превратилось в рутину. Нас держали в отделении милиции ровно три часа, после чего отпускали. Мы стали носить с собой на демонстрации сумку с нардами. Оказавшись в милиции, мы немедленно расставляли нарды и начинали играть.

Третий день с начала нашей кампании был субботой, не рабочий для евреев, и мы отдыхали. 13 апреля мы ждали нового хода со стороны наших оппонентов. Я подсчитывал: если безобразную сцену на входе в метро «Щукинская» наблюдали двести человек и каждый из них расскажет, что видел и слышал, двадцати знакомым, а те... Вряд ли советские власти допустят, чтобы по Москве каждый день человек кричал, что он «знаменитый гроссмейстер» и раскрывал секретных агентов КГБ, похищающих его.

Конечно, насчет собственной знаменитости я сильно преувеличивал. Единственный раз я заметил, что известен в Москве, на следующий день по возвращении с чемпионата СССР, который я выиграл. Передвигаясь по городу в общественном транспорте, я обнаружил в какой-то момент, что у меня кончилась мелочь, и решил проехать одну остановку на троллейбусе зайцем. Водитель на середине дороги остановил машину, потребовал у меня билет и, возвращая сдачу за оплаченный штраф, сказал: «Следующий раз, когда вы вернетесь из Ленинграда с первенства СССР, будете брать билет».

Итак, без пяти три, в воскресенье 13 апреля, мы поднялись из метро «Арбатская» и направились к памятнику Гоголю. Вдруг я осознал, что вокруг нас никого нет. Нам давали подойти к месту и развернуть плакат. Что это означало? Конечно, не решение нас отпустить. Они бы сделали это до демонстрации. Решение посадить?

Это был самый страшный момент в нашей кампании. Я узнал — где локализуется страх. Где-то внизу живота. Этакая неприятная холодная тяжесть.

Вот мы у памятника. Разворачиваем плакат: «Отпустите нас в Израиль». Поджидавший нас гэбэшник рвет его. Вот и все. Демонстрация окончена. Это был один из двух дней нашей кампании, когда нас даже не арестовали.

Я почувствовал большое облегчение. Дело не только в том, что мы свободными возвращались домой. Становилось понятным, что мы выигрываем кампанию. Если нас не посадили сейчас, сажать завтра будет менее логично. Видимо, в этом чувстве возможности победы сказывался мой опыт шахматиста, понимающего динамику борьбы.

А может быть, все дело было в лингвистическом различии в понимании мной и КГБ понятия «демонстрация». Видимо, они считали, что если мы не продержали плакат и трех секунд, то это и не демонстрация вовсе. Мы же считали, что да, демонстрация. Чтобы застолбить наше понимание термина, мы отправились к ближайшему работающему телефону-автомату, я достал припрятанный листик с номерами знакомых корреспондентов западных информационных агентств и газет и растрезвонил по всему миру, что сегодня, 13 апреля, мы провели демонстрацию протеста. Пусть теперь гэбэшники звонят по тем же номерам и объясняют, что это была не демонстрация.

Конечно, чудо нашего неареста после демонстрации, видимо, первая такая слабость режима со времен демонстрации троцкистов 7 ноября 1927 года, имело не только лингвистическое объяснение. Покинув Советский Союз, я узнал, сколь широкой была поддержка нас в разных странах. По дороге в Берн на мероприятие «Салют Гулько» чемпион США Лев Альбурт остановился в Лондоне, где сыграл матч с чемпионом Великобритании Джонатаном Спилманом (Jonathan Speelman). Секундант Альбурта на этом матче амстердамский гроссмейстер Гена Сосонко рассказал мне позже, что участники матча и их секунданты посетили демонстрацию в нашу с Аней защиту, организованную активной женской лондонской группой «Комитет 35-ти». Демонстрация состоялась в лондонском Сохо на площади перед театром, в котором как раз в те дни шла премьера мюзикла «Chess». «Твоих портретов на площади было, — повествовал Гена, любящий красивое словцо, — как Брежнева на Красной площади седьмого ноября в былые годы».

Альбурт перечислял мне позже длинный список американских конгрессменов и сенаторов, предпринимавших шаги в нашу защиту. Я увидел интерес к теме отказников среди американских законодателей, когда участвовал в слушаниях на эту тему в Конгрессе в начале августа 1986 года, через два месяца после нашего отъезда. В сеансе одновременной игры, который я дал в тот день в Капитолии, среди моих оппонентов был даже представитель американского народа, не знавший, как ходят фигуры. Надо было очень печься о советских евреях, чтобы сесть играть в шахматы, не зная ходов!

Конечно, были акции поддержки и в Израиле, хоть Израиль и не имел в те годы особого влияния на политику СССР. Через день после того как 30 мая мы прибыли в Израиль, я присутствовал на партии в «живые шахматы» между «отказниками» и «КГБ», которую разыгрывали молодые ребята в кампусе Иерусалимского университета на горе Скопус. На майке парня, изображавшего одну из «фигур», значилось мое имя. Я предположил, что должен бы быть пешкой, которая только что прошла в ферзи.

И конечно, важно было, что на дворе стояли уже не брежневские и не андроповские времена, а период «ранне-горбачевский». Еще томился в горьковской ссылке академик Сахаров, но на берлинском мосту Глинике уже обменяли на советского шпиона Натана Щаранского.

В период наших демонстраций в Ровно арестовали и дали срок Василию Барацу, а месяцем позже в тюрьму отправят его жену Галю, но какие-то признаки грядущего смягчения режима начинали витать в воздухе.

На следующий день, 14 марта, КГБ, похоже, принял наше определение «демонстрации» и на три часа задержал нас. Мы продолжали выработанную ко второму дню линию: на все распоряжения гэбэшников отвечали «Нет!» Порвав наш плакат, они должны были еще и волочить нас в машину. С этого дня нас не возили, как в первые два дня, по разным отделениям милиции. Они облюбовали одно — на задах старого Арбата, напротив театра им. Вахтангова. Проведя почти месяц в этом отделении, я как-то свыкся с ним, и в последующие годы, когда я оказывался в Москве на шахматных соревнованиях, на прогулках ноги сами приводили меня к этому отделению.

В последующие дни недели у нас с гэбэшниками выработалась привычная процедура: мы разворачивали наш плакат, они его рвали. После препирательств нас волокли в машину и отвозили в отделение милиции. Оказавшись в отделении, мы доставали из сумки нарды и три часа, пока нас не отпустят, играли. Это помогало нам снять напряжение после битвы, и, кроме того, мы хотели показать, что готовы к долгой кампании и сидение в их дурацком отделении нас не очень заботит. Покинув отделение, мы отправлялись на Старую площадь в приемную генерального секретаря партии и писали Горбачеву очередную жалобу.

Удивительное совпадение: Москва — большой город, но в те дни, передвигаясь по нему, мы постоянно встречали знакомых. И стоило нам на минуту остановиться и спросить встреченного: «Как дела?», как словно из-под земли появлялся милиционер и требовал от наших знакомых предъявить документы. Однажды, уже возвращаясь домой, мы столкнулись в вагоне метро с нашим соседом физиком Виктором Флеровым. Виктор гордо вез из типографии пачку только что отпечатанных книг — свою монографию. На платформе станции «Щукинская» нас ждал патруль милиции. Они препроводили нас с Флеровым в уже знакомую нам комнату милиции и записали паспортные данные всех нас. Это задержание не испортило Флерову его карьеры в Союзе, а через некоторое время он и сам с семьей уехал в Израиль.

Но не все знакомые, которых я видел во время наших походов на демонстрации, подходили к нам здороваться. В те дни я осознал, почему киевский КГБ так ненавидел мужа моей сестры, Володю Кислика, — он, действительно, был прекрасным организатором. Ко времени наших демонстраций Володя и Бэлла поменяли свою киевскую квартиру на московскую и Володя досаждал уже московскому КГБ. Он организовал так, что кто-то из отказников приезжал к нашему дому к двум часам дня и на дистанции сопровождал нас к месту демонстраций. Так что, если бы мы стараниями КГБ исчезли, это не было бы бесследное исчезновение. И когда в толпе мелькали Борис Чернобыльский или Арик Рохленко, я знал что это не случайные встречи.

То были дни большого внутреннего напряжения. И это было время, когда я стал чувствовать поддержку Свыше. Откуда-то бралась энергия, опустошенный напряжением, я вдруг находил себя вновь полным сил. Религиозность, к которой я пришел позже, основана в известной степени на моем духовном опыте тех дней. Аня говорила мне, что испытала нечто схожее.

Пришло 16 апреля — день нашей шестой демонстрации и день акции в Берне «Салют Гулько». Мы решили отметить этот день пресс-конференцией. Я обзвонил знакомых журналистов, и все они обещали приехать к нам. Я назначил время — час дня, чтобы в 2.15 мы могли выехать на очередную демонстрацию.

В назначенное время журналистов не было. Ко мне пришло ясное осознание — сегодня американцы бомбили Ливию, все журналисты заняты этой новостью и из корпунктов не выходят. Я включил радио, и диктор подтвердил — да, сегодня американцы действительно бомбили Ливию. Удивленные таким практически не очень полезным прозрением, мы поехали на демонстрацию.

В дни международных кризисов, под шумок, КГБ чувствовал себя свободней для проведения резких акций. Так, во время кризиса, после оккупации Афганиста́на, КГБ сослал в Горький академика Сахарова. В такие дни могли выслать неудобного иностранца. Поэтому западные дипломаты и журналисты в периоды кризисов старались не покидать своих нор и не выходить в город.

Конечно, в этот день была выше вероятность посадки и для нас. Поэтому, когда в положенное время — через три часа после задержания — нас отпустили из участка, я испытал облегчение. Было ясно, что если даже такой день они не используют для ареста, мы на шаг ближе к победе.

Мы вернулись домой, но к восьми часам вечера должны были ехать на Центральный телеграф для общения с Берном. Своего телефона, как я писал, у нас не было.

Когда подошло время отправляться на Телеграф, я почувствовал, что у меня нет сил пошевелиться. Я решил, что «Салют Гулько» пройдет и без меня. Тем более что наверняка с Берном нас не соединят.

На Телеграфе побывал Володя Пименов. Как шахматный мастер и отказник, он тоже был приглашен участвовать в мероприятии. Прождав час, никакого соединения с Берном он не дождался.

Весна в тот год стояла очень теплая, и 21 апреля полил дождь. Когда мы добрались до Гоголя, мы обнаружили, что в округе нет ни души — только мы и человек шесть гэбэшников.

В тот день эти ребята применили новую тактику. Они прыгали вокруг нас и не давали нам вытащить из сумки наш плакат. Один из них сунул мне красную книжицу, тут же убрал ее и сообщил, что он сотрудник милиции Соколов. Врал, не был он ни сотрудником милиции, ни, конечно, Соколовым. Хоть мне это было безразлично. В общем, в тот день нам не дали развернуть плакат и сорвали демонстрацию.

Нужно было искать новый ход, и мы нашли его. В тот вечер Аня хорошо поработала и нашла на темно-синие майки большие белые буквы с нашим обычным текстом: «Отпустите нас в Израиль».

На следующий день, прибыв к памятнику, мы скинули наши пальто и расправили груди. Такую демонстрацию было не остановить, и такой плакат не порвать. И пока милиционеры организовывались, чтобы затолкать нас в машину и увезти, проходило известное время. Хоть и не большое.

Интересна была реакция москвичей на наши демонстрации, хоть понять, какая реакция спонтанна, а какая нет, было не всегда просто. Как-то пьяный мужик, сидя на лавочке, выкрикивал в наш адрес: «Убить их надо! Расстрелять их надо!» А потом, когда милиционеры, не проявляя рвения, толпились вокруг нас, не решаясь нас волочить, этот мужик подошел к ним и стал руководить нашим задержанием.

— Почему этот пьяный командует вами? — не без ехидства спросил я капитана милиции, старшего среди милиционеров.

— Все нормально, — успокоил меня капитан.

Бывали и другие реакции. Старый и по виду больной мужчина сказал мне: «Я приветствую вас. Мне помирать здесь», — он широким жестом показал в сторону арбатских переулков. — Но вас я приветствую», — он опять использовал это не очень подходящее слово. А я подумал почему-то, что этот человек знает, наверное, об Архипелаге ГУЛАГ не по книжке Солженицына.

Но кто вызывал у меня легкий ужас — так это старухи. Их ненависть была натуральной — или очень хорошо сыгранной. Я, конечно, допускал, что все эти старухи были ветеранками секретной полиции. Но они могли быть и естественным гласом глупого народа. Вроде старушки, которую обессмертил Ян Гус*.

Видели наши демонстрации и коллеги. Место демонстраций, которое мы выбрали — вход на Гоголевский бульвар с Арбатской площади, — миновали все, идущие в Центральный шахматный клуб СССР или из него. Так что мимо нас проходили и шахматные бюрократы, и гроссмейстеры. Однажды, это было уже в начале мая, за нас вступился гроссмейстер Женя Свешников. Милиционеры ждали запаздывавшую машину, чтобы запихнуть нас в нее. И тут возник идущий в клуб Женя. Он поздоровался с нами, а узнав, что нас забирают в милицию, заявил милиционерам, что знает нас и ручается, что мы

---

* «О, святая простота!» — воскликнул Ян Гус, увидев старушку, подбрасывающую хворост в костер, на котором его сжигали.

известные шахматисты и приличные люди. Женя про-
демонстрировал даже удостоверение тренера сборной
России. Нас все равно уволокли, но поступок Свешникова меня растрогал.

Загадочным образом противостояние с властью для
законопослушного до той поры вроде бы Свешникова,
начатое им у памятника Гоголю, продолжилось серией
судебных процессов. Тут были и попытка доказать, что
видеофильмы, конфискованные у Жени по доносу его
первой жены, не порнографические, а эротические, и
суд с подмосковным городом Химки, отказывавшемся
прописать его у мамы, и суд с республикой Латвия, не
дававшей Свешникову права жить у его жены-рижанки.
На что подчас уходят силы нашей души!

Между тем наступило 24 апреля — начало еврейского
Песаха, и мы ушли на пасхальные каникулы — объявили
недельный перерыв в демонстрациях. Песах — праздник
освобождения евреев из египетского рабства — имел
для отказников дополнительный смысл. Последние три
тысячи триста лет случалось нередко, что евреев изго-
няли из той или иной страны. Но едва ли не впервой со
времен Древнего Египта из Советского Союза евреев не
выпускали. Поэтому слова Моисея, обращенные к фара-
ону: «Отпусти народ мой», — стали едва ли не девизом
отказнического движения.

Песах празднуется как застолье в первые два вечера. Первый Седер мы провели в Спасо-хаузе — московской резиденции посла США Артура Хартмана. Зал,
где проходило празднование, описан в романе Булгакова «Мастер и Маргарита» как место бала Сатаны.
В тридцатые годы американский посол проводил здесь
пышные вечера с птицами и зверьми, арендованными в
Московском зоопарке. Второй Седер мы праздновали
на квартире американского корреспондента новостно-
го канала кабельного телевидения — я тогда еще не
различал эти каналы — Лури. Меня поразило тогда, что
жена его Марджарет перед Песахом съездила в Хель-
синки, чтобы купить хорошую рыбу для приготовления
знаменитой еврейской гефилте фиш. В московских магазинах, даже валютных, найти то, что хотела, она не
смогла.

В последние дни Песаха случилась чернобыльская катастрофа. Несмотря на наступившую в Москве жару, мы сидели с закрытой форточкой. Боялись радиоактивного южного ветра. А дебильная советская пропаганда повторяла, что разговоры об опасности — это злобная западная выдумка. 1 мая на зараженные радиоактивностью улицы Киева вывели на демонстрацию детей. До нашего отъезда из Москвы 30 мая у нас успели пожить беженцы из Киева.

Второго мая мы возобновили наши демонстрации. Я с удивлением обнаружил, что привычка прошла, и на демонстрации 2 мая ко мне опять вернулся страх в виде холодной тяжести внизу живота. Вскоре, однако, демонстрации опять стали рутиной.

Особняком стояла демонстрация 5 мая. В ту пору в Москве работал удивительный посол Мальты. Звали его Джузеппе, фамилии его я не знал никогда. Была у Джузеппе жена — рыжая киевская девица Зина с зелеными глазами. Я не слышал голоса Зины, но почему-то мне казалось, что безумство поведения Джузеппе шло от Зины. Посол явно нарывался.

В какой-то момент нашей кампании мой товарищ Валерий Сойфер спросил Джузеппе — не слабо ли тому прийти на нашу демонстрацию. «Ничего не слабо», — ответил Джузеппе.

Когда 5 мая мы прибыли к памятнику, нас там поджидали Джузеппе и Зина. Мы сняли наши курточки, обнажив Анины аппликации. К нам приблизились посол республики Мальта с супругой и затеяли дипломатическую беседу. Вскоре они покинули место демонстрации, а мы остались демонстрировать. Нас почему-то не арестовывали. И тут выяснилось, что делать нам на нашей демонстрации абсолютно нечего. Публика глазела на нас, мы глазели на публику. Вот прошли в шахматный клуб мои приятели — гроссмейстеры Миша Гуревич и Саша Чернин. Мы сделали вид, что не узнали друг друга. Чего им только не хватало — так это рапорта в КГБ. Гуревич и так был тогда рекордсменом по невыездам. В тот год он был чемпионом СССР, а его не пустили даже с делегацией комсомола в Монголию.

Потом мы стали разглядывать памятник. Гоголь, обращенный лицом на Арбатскую площадь, был одним из самых нелюбимых москвичами памятников города. Когда-то здесь стояла замечательная скульптура Гоголя работы Андреева. Но тот Гоголь оказался слишком грустным и талантливым для оптимистичных и бездарных сталинских времен, и его в 1951 году сослали во двор дома графа А. П. Толстого на Суворовском бульваре, а здесь установили помпезный памятник работы Томского. Да и посвящение на постаменте было дурацким: «Великому русскому мастеру слова от Советского правительства». Я сказал Ане, что Гоголю, столь художественно описавшему еврейский погром в «Тарасе Бульбе», наверняка приятно ежедневно наблюдать еврейские погромы, когда нас волокут в милицейскую машину.

Промаявшись минут двадцать, мы поехали писать очередную жалобу Горбачеву. А я всерьез встревожился — что мы будем делать, если они перестанут обращать внимание на наши демонстрации?

Я напрасно волновался. На следующий день нас опять арестовали.

Послу Мальты его выходка просто так не прошла. Через месяц или два после выхода к Гоголю его объявили персоной нон грата и выслали из Советского Союза. Я встретил Джузеппе еще раз весной 1988 года в Милане. Он был грустен — карьера на Мальте для высланного посла была закрыта.

— Ни одно доброе дело не остается без наказания, — несколько неуклюже попытался я утешить Джузеппе.

Становилось ясно, что на серьезные акции против нас гэбэшники санкции не получили. Другое дело — мелкая провокация.

В тот день, 5 мая, мы возвращались домой раньше обычного. Из-за вмешательства республики Мальта мы не провели обычных трех часов в милиции.

В марте 1985 года в результате сложного квартирного обмена моя сестра Бэлла с мужем Володей Кисликом переехали из Киева в квартиру моих родителей в московском районе Крылатское, а родители оказались в однокомнатной квартире через два двора от нас.

Мы сразу отправились к родителям. Нашего семилетнего сына Давида, отказника почти что с момента рождения, с начала наших демонстраций мы в школу не пускали. Что еще придет в голову гэбэшникам относительно ребенка? Да и Давид не особенно скучал по своей учительнице Татьяне Даниловне, иногда приходившей на уроки пьяной. Отправляясь на демонстрации, мы приводили Давида к родителям, а возвращаясь, забирали его.

На этот раз мы вошли в квартиру родителей сразу же за незваными гостями. Работник Управления шахмат и детский тренер — и, кто его знает, кто еще — Александр Костьев привез для беседы с моим отцом, ветераном Второй мировой войны, другого ветерана — из Советского комитета ветеранов войны.

Я отвел незваных гостей на кухню, а родителей отправил в комнату. Моему отцу было 79 лет, он был уже не очень здоров, и, конечно, я хотел оградить его от гэбэшных провокаций. С мамой же... я скорее хотел защитить ветерана. При предыдущих попытках давить на родителей гэбэшники слышали от нее все, что она о них думает. Она бесстрашно бросалась на них, чтобы защитить своих детей.

Впрочем, ветерану досталось и от меня. Дискутировать с отказником — это не переправу наводить через Днепр или, не знаю, что он там делал во время войны, стрелять в отступающих из заградительного отряда. В конце беседы бедняга выглядел плохо, и, я надеюсь, Костьев довез его назад без сердечного приступа или гипертонического криза.

Конечно, посылать на такое задание старого человека, даже если этот человек ветеран КГБ или бывший политработник, было жестоко со стороны гэбэшного начальства. Непонимание между КГБ и ветеранами я наблюдал и значительно позже, в декабре 2001 года.

Я приехал тогда в Москву играть в первенстве мира. Соревнование проходило на шестом этаже Дворца Съездов в Кремле. В один из дней первенства на первом этаже Дворца Съездов ветераны знаменитой битвы под Москвой праздновали ее шестидесятилетний юбилей.

После празднования несколько стариков поднялись на шестой этаж, чтобы посмотреть, как мы играем. Один из них направился в туалет. А в туалете том сидел гэбэшник и строго следил, чтобы туалетом пользовались только люди с удостоверением участника первенства.

— Вам не положено, — остановил ветерана гэбэшник.

— Но я писать хочу, — возражал старик (легко посчитать — ему было за 80).

— Этот туалет только для участников первенства, — защищал писсуары гэбэшник

— Я Москву защищал, — жалобно возглашал ветеран, показывая на висевшие на груди ордена. К мучениям мочевого пузыря у него, очевидно, примешалась обида. Только что, на первом этаже, ему рассказывали, как его любят и ценят, а здесь, на шестом, не пускают пописать.

— А у меня жена и ребенок. Я работы лишусь, — тоже жалобно отвечал защитник писсуаров. И его резон был серьезен.

Я хотел уступить ветерану свое право попользоваться писсуаром, а сам бы уж съездил на первый этаж, в туалет для простых людей. Но я не был уверен, что такой обмен правами дозволяется кодексом чекистов.

Все это время, начиная с 10 апреля, гэбэшники присутствовали в нашей жизни открыто. Когда мы выходили из нашего дома, мы их не видели. Но стоило нам отойти от дома или отъехать на автобусе одну остановку, как к нам пристраивался наш «эскорт», или в автобус входил «знакомый» гэбэшник, а в заднее стекло мы видели следующие за автобусом две машины без номеров. От привычки, оказавшись в машине, немедленно выворачивать голову, чтобы посмотреть, кто следует за нами, после эмиграции я избавился далеко не сразу.

В субботу, 3 мая, свободную от демонстрации, мы отправились покататься на лодке вместе с сыном в Серебряный Бор — одно из самых приятных мест в Москве, рядом с которым жили. Следом за нашей лодкой по реке плавала «лодка сопровождения» гэбэшников.

Позже в тот же день мы отправились через Троице-Лыковский лес в Крылатское к моей сестре. Транспортом к ней нужно было добираться больше часа. Через лес же можно было пройти за 50 минут. Прячась зачем-то за деревьями, за нами следовали две бригады КГБ, правда, по техническим причинам, без машин. «Кто это?» — встревожился наш сын. — «Не волнуйся, это гэбэшники, — успокоил я его. — Они нас охраняют».

«Охраняли» они нас круглые сутки. Как-то поздно вечером мы решили дать кому-то телеграмму, и я отправился на почту, находившуюся недалеко от нашего дома и работавшую круглосуточно. У стойки, где принимали телеграммы, я увидел сидящим на стуле Марлона Брандо — импозантного гэбэшника, которого я, видимо, за его внешний вид считал главным в одной из групп. Прослушивали ли они нашу квартиру, знали ли, что я приду давать телеграмму, или он просто присел на почте отдохнуть, я не знаю.

Дурных чувств к этим ребятам я не испытывал. Работа как работа. Огромное число людей в СССР делали вещи и похуже — идеологические работники, изготовители оружия, военные «первенцы» страны, отдававшие в те годы свои жизни в Афганистане, чтобы расширить «империю зла» на юг.

Конечно, легко возненавидеть людей, которые ежедневно волокут тебя в милицию или шпионят за тобой. Но я считал, что мы должны относиться к ним безлично. «Мы воюем не с лейтенантами, а с генералами», — ежедневно повторял я себе и Ане. Постепенно мы привыкли к ним. И они привыкли к нам. И стали нам доверять. А напрасно.

11. Прорыв

Шестого мая, отсидев после демонстрации положенные три часа в милиции и наигравшись в нарды, в которые Аня нещадно обыгрывала меня, мы, как всегда, отправились на Старую площадь писать жалобу Горбачеву. Текст уже составлялся привычно. Поодаль нас поджидали наши соглядатаи. В тот день за нами следовала по пятам Домохозяйка — тетка с хозяйственной сумкой — и вторым эшелоном, чуть поодаль, следовали обсуждавшие что-то свое молодые ребята.

Когда мы покинули приемную ЦК, Домохозяйка чуток поотстала. «Бежим!» — приказала мне Аня. Ничего в этом ее импульсе не было, кроме усталости, оттого что за тобой все время кто-то ходит.

Мы помчались. В те годы мы были хорошими спринтерами. Краем глаза я видел на значительном расстоянии бегущих гэбэшников. Влетев в подземный переход на площади Ногина, мы не повернули налево, к толпе у входа в метро, а выскочили наверх с другой стороны перехода и юркнули в первую же дверь ближайшего здания. Это была приемная первого секретаря московского горкома партии Бориса Ельцина.

Мы долго писали ему письмо, отдышались и расслабились. Когда через полчаса мы вышли наружу, за дверью нас никто не поджидал.

Мы направились к Котельнической набережной, подальше от метро, где нас могли еще искать. Это было ни с чем не сравнимое чувство — за нами никто не шел. Чтобы испытать его, нужно целый месяц находиться «под колпаком» у КГБ. Такая небывалая свобода требовала выражения в каких-то действиях.

Мы замечали, что некоторые отказники, во время наших первых демонстраций изредка мелькавшие в толпе прохожих, чтобы увидеть, что происходит с нами, последние дни осмелели и небольшой группой стояли через дорогу от памятника, наблюдая наши баталии. Я видел по их лицам, что люди близки к тому, чтобы присоединиться к нам. Всем был ненавистен отказ, пожирающий годы жизни.

Мы решили поехать к кому-нибудь из знакомых отказников и предложить участие в нашей демонстрации. Договариваться нужно было в секрете, иначе человека могли похитить по дороге на демонстрацию, как похищали в первые два дня кампании нас.

Выбор пал на отказников нашего призыва 1979 года, ученых-биологов Володю Апекина и Катю Сказкину. Они вместе со своей дочерью Катей-младшей, талантливой художницей по керамике, представлялись нам людьми более решительными, чем большинство наших прочих знакомых. К тому же Володя находился в отчаянной ситуации. Ему необходима была операция на сердце, и делать эту операцию нужно было, естественно, не в Союзе. От кого-то я слышал, что Володе грозила и ампутация ноги.

Мы отправились к Апекиным на Рязанский проспект. Их, конечно, дома не оказалось. Прошлявшись часа полтора по проспекту, омерзительно безобразному, как большинство московских новостроек того периода, мы дождались их.

За чаем на кухне я рассказал о нашей кампании.

— Похоже, санкции на нашу посадку КГБ не получило. Выйдя на демонстрацию с нами, можно оказаться защищенным этим отсутствием санкции. С другой стороны, терпеть разрастание демонстрации они не могут. Значительна вероятность того, что просто отпустят.

Над столом повисла напряженная тишина. Секунд на двадцать. Может быть, на полминуты.

— А что... я выйду, — произнес Володя.

Мы обговорили все детали и отправились домой.

На следующий день Володя Апекин поджидал нас на лавке у памятника Гоголю. И надо же было такому случиться, мы запоздали. Минуты на две или на три. Эти минуты, Володя рассказал мне потом, были самыми страшными минутами в его жизни. Наконец с огромным облегчением он увидел, как мы пересекаем площадь и направляемся к памятнику.

Опираясь на палочку, Апекин поднялся с лавки у памятника нам навстречу. Мы стали в ряд и сняли куртки. На Володиной груди, на синей майке красовалась аппликация: «Отпустите нас в Израиль».

Я почувствовал — или мне почудилось — замешательство в среде поджидавших нас гэбэшников. Наверняка уже звонили телефоны в каких-то кабинетах на Лубянке, а может быть, и на Старой площади. Наконец к нам подошли милиционеры и потребовали, чтобы мы прошли к милицейской машине. Опираясь на палочку, Володя заковылял к машине.

— Мы не пойдем, — привычно заявили мы с Аней.

— Я тоже не пойду, — передумал Володя и вернулся в строй.

Надо отдать должное милиционерам: Апекина, я видел, они несли очень осторожно.

В тот день мы пробыли в милиции дольше обычного. Где-то велись обсуждения, кто-то получал втык. Наконец появились гэбэшники и приказали нам снять наши майки с аппликациями. Володя стал расстегивать куртку.

— Мы не снимем, — сказали мы с Аней.

— Я тоже не сниму, — присоединился к нам Апекин, вновь застегивая куртку.

Когда двое держат, а третий снимает майку — ничего не поделаешь. Мы с Володей подчинились неизбежному. Но не Аня. Она вырывалась и стойко противилась насилию. «Теперь вы увидите, кто из нас плохой», — злорадно подумал я. А может быть, Ане, долго работавшей над аппликациями, было жаль своей работы...

Освободившись, Володя поехал домой, а мы направились к телефону-автомату, из которого я все последние дни после демонстраций обзванивал корреспондентов. Автомат тот притулился к зданию Министерства иностранных дел СССР на Смоленской площади и в отличие от большинства московских автоматов всегда был исправен. Думаю, что он и прослушивался всегда. Впрочем, как и телефоны западных корреспондентов, которым я звонил.

Я рассказал корреспондентам историю Апекина, присоединившегося к нам, и пообещал, что 11 мая, когда в Нью-Йорке намечалась стотысячная демонстрация в защиту советских евреев-отказников, мы в Москве тоже выведем на демонстрацию группу людей.

С моей стороны такое заявление было не полным блефом. Я чувствовал, что есть отказники, готовые присоединиться к нам.

В тот вечер к нам домой приехал милиционер и привез повестку явиться в ОВИР на следующий день в четверг 9 мая к 1 часам пополудни. Очевидно, они хотели сорвать нашу демонстрацию, назначенную на три.

Мы поехали в ОВИР с утра. Известная всем отказникам Москвы инспектор Сазонова приняла нас сразу. Впрочем, мы разделились. В кабинет вошел я, а Аня осталась ждать снаружи.

Сазонова предложила мне взять домой и вновь заполнить анкеты, поскольку старые, заполненные семь лет назад, устарели. Я ответил, что зачем, мол, попусту заполнять анкеты. Пусть она лучше скажет мне, намерены ли они нас отпустить. Сазонова отвечала что-то нечленораздельное. Я настаивал. В конце концов Сазонова произнесла: «Принесете заполненные анкеты и получите открытку».

Открыткой называли документ, в котором было сказано о разрешении на отъезд и было указано, какие действия нужно совершить, чтобы получить выездную визу. Это походило на победу.

Я покинул кабинет. Снаружи Аня сообщила мне, что, вслушиваясь из-за двери в перебранку, она явственно слышала, как Сазонова все время кричала мне: «Вам разрешено», а я каждый раз что-то возражал ей. Это означает, что мой слух отказывался воспринимать фразу, которую я тщетно ждал долгие семь лет. Сознание не принимало ее.

Я позвонил Апекину и сказал, что на демонстрации мы больше не выходим — нас отпускают. Володя ответил, что подумает, что ему делать дальше.

Я испытывал некоторую неловкость перед Апекиными. Мы использовали Володино мужество, а теперь бросали его.

На следующее утро к нам пришла мама и сказала, что звонил Апекин и просил меня перезвонить ему. Я отправился на квартиру родителей. Отцу, как ветерану войны, поставили телефон, который, как у отца диссидента, тщательно прослушивали. На это Апекин и рассчитывал.

— Я напишу открытое письмо на Пагуошскую международную конференцию, — передавал через телефон моих родителей угрозы КГБ Володя, — напишу еще в какие-то инстанции.

— Мм-да-а-а, — мычал я расстроенно. — Очень Пагуошская конференция ему поможет.

Через два часа мама пришла к нам опять. Апекин просил позвонить ему еще раз. Я уже догадывался, что услышу.

— Я решил выйти на демонстрацию один, — услышал я в трубке.

— Вот это правильно, — поддержал я Володю.

Я догадывался, что на Лубянку поступил окрик со Старой площади, и КГБ должен был прекратить наши демонстрации немедленно. Все же выйти на демонстрацию одному, не имея относительной защиты, которую давала нам наша шахматная известность, я понимал, было нелегким решением.

Слава богу, угроза Апекина, переданная через телефон моих родителей, сработала. За несколько часов до демонстрации, на которую с Володей решила выйти его дочь Катя, милиционер доставил Апекиным открытку с разрешением покинуть Советский Союз. В Америке Володе сделали успешную операцию на сердце. И до сего дня — двадцать один год спустя — Апекин продолжает успешную научную работу в Массачусетском технологическом институте.

Неделю мы заполняли анкеты, получали какие-то дополнительные справки, и 15 мая, ровно через семь лет после подачи документов, мы опять были в Колпачном переулке, столь хорошо знакомом московским евреям, и вручили бумаги Сазоновой.

— Все в порядке, можете идти, — сказала она нам.

— А где же открытка?!

— Так вам сразу и открытка, — сыронизировала инспектор ОВИРа. — Ждите. Получите по почте.

— Мы уже семь лет ждем.

— Полождете еще.

С тяжелым сердцем спустились мы от Колпачного переулка к Старой площади. Мы надеялись, что наша борьба окончена. Похоже, это было не так.

Мы зашли в какой-то музей, размещавшийся в старой церкви, прятавшейся среди тяжелых зданий огромного комплекса ЦК КПСС. Постепенно решение вызрело.

Я набрал номера нескольких друзей-отказников, в телефонах которых был уверен. Телефоны эти прослушивались круглые сутки. «Нас обманули», — сообщил я им. — Завтра мы вновь выходим на демонстрацию»

Когда мы добрались до Строгино, нас дома уже ждал милиционер с открыткой: принесите такие-то документы, получите выездную визу.

Мы показали невероятную, казалось, вещь. В Советском Союзе можно провести демонстрацию протеста против действий властей и с вероятностью, отличной от нуля, добиться своего, а не загреметь в тюрьму.

Уже в дни сбора справок для выезда я свел вернувшегося за год до того из заключения отказника Бориса Чернобыльского с западными корреспондентами. Боря уже готовил новую демонстрацию. Вскоре он вывел свою семью — жену и троих детей — к Большому театру. Впятером они развернули лозунг «Чернобыльских — в Израиль».

В отличие от нас Чернобыльские не предупреждали власти заранее о своей акции и застали КГБ врасплох. Дело было через три недели после чернобыльской катастрофы, и гэбэшники, которыми в те времена кишел центр Москвы, никак не могли врубиться, что означает странный текст. Он звучал даже несколько антиизраильски. Может быть, даже был намек на то, что ядерный реактор в Чернобыле взорвали евреи. В этом случае такая демонстрация могла бы быть и разрешенной.

Только через 12 минут Чернобыльских скрутили. При этом гэбэшников взбесило, что лозунг был написан не на бумаге, как это делали мы в начале нашей кампании, а на снятой со стола клеенке. И порвать этот лозунг не представлялось возможным.

Борис получил 15 суток ареста. Но плотина была прорвана. Через какое-то время пришла информация о демонстрации отказника где-то в провинции.

Девять месяцев спустя, в начале февраля 1987 года, я прилетел уже из Америки на шахматный турнир в Париж. Добравшись до отеля, я по привычке сразу включил телевизионные новости. Рассказывали о демонстрации отказников в Москве с требованием освободить отбывавшего семилетнее заключение Иосифа Бегуна, отказника, осужденного за антисоветскую пропаганду. Нескольких женщин-отказниц, а среди демонстрантов было большинство женщин, гэбэшники жестоко избили. Сломали кинокамеру какому-то западному телеоператору. Но вскоре, в том же феврале, Бегуна освободили.

Это был уже другой уровень протеста. Боролись за права другого. И победили.

В ноябре 1987 года, переключая телевизор в нашей бостонской квартире с одной программы новостей на другую, я в каждой видел свою сестру Бэллу, ругающуюся с гэбэшниками во время большой демонстрации отказников на Смоленской площади перед зданием Министерства иностранных дел СССР. География еврейских демонстраций по Москве расширялась.

Рядом с Бэллой сражался с гэбэшниками за свою камеру известный тележурналист Арнетт. А так как все это снималось, было ясно, что рядом работали еще несколько тележурналистов.

Теперь понятно, что КГБ и партия совершили ужасную для себя ошибку, создав в СССР многотысячную общность отказников. Когда режим попытался модернизироваться, эта группа людей, по советским меркам внутренне свободная, борясь за свои права, увлекла и других и во многом способствовала гибели советской системы.

Занятна история отказника Сергея Мкртычана. По примеру нашей демонстрации, он с женой и младенцем-сыном начал весной 1988 года свои ежедневные демонстрации у памятника князю Юрию Долгорукому напротив Моссовета, требуя разрешения на выезд. Власти повели себя так, как я опасался, они могли бы повести относительно наших демонстраций, — власти не реагировали. Но Сергей демонстрировал и демонстрировал.

Постепенно к нему стали присоединяться другие. Но не отказники. Мало ли у людей могло быть претензий к советским властям. Демонстрации становились массовыми.

В конце концов Сергей с семьей уехали из СССР. А оставшиеся усвоили себе, что можно бороться с властью за свои права.

Вернусь к нашему отъезду. Сказалось чрезмерное напряжение последних полутора месяцев — 22 мая у Ани начались непонятные сильные боли в животе. К нам приехал мой дальний родственник и наш хороший друг Леня Селя. Сейчас Леонид — нейрохирург в пригороде Вашингтона и профессор Джорджтаунского университета. А тогда он работал хирургом-ортопедом в Боткинской больнице. Леня отвез Аню в свою больницу и простоял около нее в ту ночь все время, пока ей делали операцию. Что могло взбрести в голову людям из КГБ, когда человек столь беззащитен — с разрезанным животом и под наркозом?

На следующий день я приехал проведать Аню. Соседняя с Аниной палата была убрана в мрамор. Она была мемориальной. В этой палате в 1918 году лежал Ленин после того, как в него стреляли на заводе Михельсона. И я подумал, что между этими двумя палатами умещается вся история политически активных евреек России XX века. От страстного стремления что-то изменить в этой стране до не менее страстного желания покинуть ее.

В понедельник 26 мая я принес Сазоновой все необходимые бумаги.

— Вам надлежит покинуть СССР до четверга двадцать девятого мая, — сказала Сазонова.

— А нельзя ли в пятницу? — на всякий случай поинтересовался я.

— Нет, — на секунду задумавшись, ответила Сазонова.

А я подумал, что если бы она ответила — можно, мы все равно постарались бы улететь в четверг.

Я взял такси и поехал за Аней. Несмотря на то что врачи советовали ей пробыть в больнице еще три дня, нам пришлось сразу ехать домой. Нужно было получать визы в австрийском и в представлявшем Израиль голландском посольствах, покупать билеты.

После получения разрешения, когда конфликт, кажется, разрешился, опека над нами со стороны КГБ не ослабела — все те же две машины без номеров и две бригады преследования. При этом, видимо, обидевшись на унижавшее их поражение, гэбэшники стали грубы: толкались, угрожали.

Аня как-то пошутила: «Есть вариант, при котором мы не уедем никогда. Если они потребуют, чтобы мы оплатили им их работу с нами, — нам не расплатиться». Конечно, с нас содрали, как и со всех уезжавших тогда, по 1300 рублей с человека за отказ от их гражданства — примерно по среднему годовому заработку за один отказ. Но эти деньги покрыли бы лишь малую часть их расходов.

Может быть, поэтому при отъезде у нас украли на таможне нашу шахматную библиотеку и все наши спортивные медали. Книжки, которые они украли, я в основном уже прочел, но вот выиграть те медали вновь возможности не представилось.

Моя сестра, которая пробыла в СССР отказницей на два года дольше нас, написала жалобу на таможню. Она получила удивительный ответ от начальника московской таможни Сванидзе: медалей мы были лишены по решению Шахматной федерации СССР.

Хотел бы я посмотреть на то решение. Во-первых, там должно было быть сказано не «лишить», а «украсть», поскольку медали у нас не конфисковывали, а тихо забрали из багажа. Во-вторых, они изъяли не только медали, выданные нам Шахматной федерацией СССР, например золотые медали чемпионов СССР, но и две золотые медали FIDE чемпиона мира среди студентов, которые я выиграл в 1966 и 1967 годах в составе советской команды. Хотя конечно, украсть можно не только то, что сам выдавал.

Имея ответ Сванидзе, Бэлла подала в суд на Шахматную федерацию СССР. В те годы Бэлла стала главным экспертом среди отказников по юридической защите их прав от властей.

Суд состоялся, вернее начался. Вскоре после начала заседания в зал вошел некто и увел судью в заднюю комнату. Вернувшись бледным, судья огласил свое решение: иск о возврате наших медалей обсуждению в суде не подлежит. Хотел бы я знать, в чьих коллекциях пылятся нынче наши медали.

12. Свобода

Самолет Москва—Вена, на котором мы улетали, был почти пуст. В ту пору мало кто получал разрешение на эмиграцию. С нами летел лишь пятидесятник Паша Тимонин с женой. Они прорвались, «борясь за мир». Тогда отказники, как еврейские, так и не еврейские, создали шуточную организацию «борцов за мир». КГБ тратило в те годы миллионы, организуя на Западе «писников», боровшихся с внешней политикой США. Но не могло потерпеть внутри страны неорганизованных советских «писников». Тем более что те, встречаясь с приехавшими в Советский Союз западными «коллегами», могли рассказать тем, что СССР не такое уж миролюбивое государство. Вот этих советских «писников» понемножку и отпускали.

Паша сидел в самолете на ряд впереди меня и, оборачиваясь, пытался поделиться набегавшими мыслями.

При этом он все время прикрывал рот ладонью. Считалось, что гэбэшники могут на расстоянии читать по губам. Кто его знает, — может, и была у них такая техника. Я кричал бывшему «писнику»: «Паша, убери руку! Мы на свободе!» Паша смущенно улыбался: «Да, конечно». Но через минуту его ладонь вновь возвращалась к губам. Что поделаешь, многолетняя привычка.

Чувство свободы, о котором я кричал Паше, с момента нашего отъезда надолго стало доминантой, которую я ощущал постоянно всеми своими органами, включая кожу. Видимо, надо чего-то страстно желать на протяжении семи лет, чтобы, добившись, по-настоящему пережить это.

Года через полтора после нашего отъезда из СССР я играл в Лос-Анджелесе в турнире American Open. После первого дня соревнования я провел бессонную ночь — ужасно мучил зуб мудрости. Наевшись аспирина Bauer, я сыграл утреннюю партию и отправился к врачу удалять вредный мудрый зуб. И вот я играю вечернюю партию со ртом, полным крови после операции, и думаю: «Стало ли менее острым после зубных мучений чувство свободы, которое я ощущаю кожей? Нет, не стало!»

В 1990 году на турнире в Линаресе, ближе к финишу, я выиграл партию у Гарика Каспарова, доведя наш личный счет до 3:0. После партии ко мне подошел известный испанский шахматный журналист Леончо Гарсия, носящий среди шахматистов ввиду полного отсутствия растительности на его голове прозвище Череп, и, протянув мне микрофон, задал вопрос, на который, как ему казалось, он предвидит мой ответ.

— Какой момент в вашей жизни стал самым счастливым моментом после вашего отъезда из Советского Союза?

— Самым счастливым моментом в моей жизни, — не задумываясь ни на секунду ответил я, — был сам момент моего отъезда из Советского Союза.

Виктор Корчной

ПОСЛЕСЛОВИЕ

Много труда мне стоило озаглавить эти несколько страничек, которые должны войти дополнением в важную книгу. А вот: «Чудище обло, озорно, огромно, стозевно и лаяй!» Вообще, это эпиграф к книге «Путешествие из Петербурга в Москву» Радищева, долженствующий продемонстрировать ужас самодержавия, правящего в России. Радищев взял эту фразу из «Телемахиды» В. Тредиаковского. Но к описанию организации, претендующей править ныне в России, эта фраза годится.

Студент исторического факультета Ленинградского университета имени А. А. Жданова, я нимало не интересовался политикой, несмотря на то что занимался в группе «международных отношений». Специфика группы потребовала дополнительного изучения иностранных языков — латынь и французский (помимо принятого к изучению всем факультетом английского) нужно было «сдавать» на третьем курсе. По-видимому, из нас собирались сделать крупных ученых. Тем не менее политика, как внутренняя, так и внешняя, меня ничуть не интересовала.

Окружающая жизнь сообщала кое-что. Под 9 мая, когда бывали амнистии, в поездах встречались угрюмые люди интеллигентного вида... Доводилось разговаривать... Я знал десятки, сотни анекдотов, антисоветских в том числе, но выводов никаких не делал. В газетах публиковались пламенные речи А. Я. Вышинского и Я. А. Малика на заседаниях Организации Объединенных Наций, но не помню, чтоб я прочитал хотя бы строчку.

Я входил в шахматный мир, стараясь не отягощать свой мозг посторонними дрязгами. Но в шахматном мире бывали умные головы. И они делились со мной своими мыслями, чувствами, эмоциями. Один гроссмейстер рассказал мне: в Советском Союзе ведут политику три силы: партия, армия, КГБ. Как правило, они работают совместно, но в некоторых случаях две силы объединяются против третьей. Так, когда нужно было убрать Берию (1953), армия объединилась с партией; когда пришла пора снять Хрущева (1964) — объединились партия и КГБ.

В тюрьмах и лагерях находились миллионы людей, но прочесть об этом было невозможно — цензура работала прекрасно. Однажды в конце 1960-х годов меня посетил один геолог. Подарил мне несколько шахматных фигурок, кое-как сделанных из дерева. Рассказал такую историю: на Колыме поставили лагерь. Привезли туда несколько сот заключенных, стражу, еды на месяц. А потом начальство про этот лагерь забыло. Когда через полгода на это место пришли геологи, они смогли подобрать только сотни скелетов и... шахматные фигурки.

С началом моих поездок за рубеж я сразу обратил внимание на заместителя руководителя делегации, офицера КГБ, «переводчика». Персона совершенно отличная от всех остальных, с функциями тоже резко отличными. «Неглупо, — подумал я, — маленький человек, "переводчик", вносит свой вклад в большую политику!»

Когда в 1976 году я покинул СССР, я, конечно, обратил особое внимание на работу КГБ за границей. Я, повторяю, не был хорошо знаком с буднями КГБ внутри СССР, но дал активности этой организации за границей самую высокую оценку. Высокую оценку боевым делам КГБ в Европе и Америке получило КГБ в правительственных кругах десятков стран. Напомню: речь идет о преследовании или убийствах на территориях независимых стран бывших советских граждан, покинувших Советский Союз. Поэтому на другой день после моего

запроса о политическом убежище голландское правительство приняло решение защищать меня специаль-
ным отрядом полиции, поэтому на протяжении всего
последующего года, когда я выступал по Европе, меня
защищала полиция в Германии, Швейцарии, Австрии,
Италии, Франции, Англии.

В своих сомнительных делах по миру советская
разведка опиралась на помощь прокоммунистичес-
ких слоев населения, а также на поддержку множества
эмигрантов. Не следует забывать: только в годы первой
эмиграции (1917—1921) Россию покинуло 9 миллионов
человек. Поистине не было в мире уголка, где бы ни осе-
ли беженцы от российского беспредела. Я, представьте
себе, повстречал в 1963 году на Кубе русского, спасшего-
ся от Ленина и Троцкого в 1920 году. Коммунизм догнал
несчастного на Кубе...

Далеко не все эмигранты первой, второй и третьей
волны готовы были сотрудничать с советскими кара-
тельными органами. Люди, покинувшие родину по политическим мотивам, как правило, не торговали совестью.
Но нечистоплотных людей, экономических переселен-
цев, особенно среди недавних беженцев, было много.
КГБ следило за мной и моими контактами. Мои наивные
попытки передать с кем-то из живущих в Западной Германии русских евреев письма семье в Ленинград дважды не имели успеха...

В Союзе должны были знать, где я нахожусь, чтобы
вовремя реагировать на мою активность. Ведь я находился под советским бойкотом, то есть в турнирах вместе со
мной советские гроссмейстеры не участвовали. По-видимому, возле меня за границей находилось несколько
стукачей; и у советской разведки неплохо получалось
наносить превентивные удары. Прокол у них случился
лишь один раз. Я прибыл на турнир в Лон-пайн, и туда
приехала советская делегация. У меня, знаете ли, была
квартира на Манхэттене, и из нее я мог совершать иногда вояжи, не доступные информации советской разведки. А в Германии КГБ вело себя свободно, позволяя в
отношении меня враждебную деятельность. В одной из
операций КГБ, в мае 1978 года, активно участвовал и «за-
светился» шахматный мастер Я. Эстрин.

В городе Женева в начале 1980-х я познакомился и побывал в гостях у эмигранта по имени Дзержинский, внука основателя и вождя ВЧК — Всероссийской чрезвычайной комиссии. Неохота заниматься здесь историей возникновения КГБ, но чудится мне, что кровожадная, беззаконная ВЧК оказалась повивальной бабкой современного монстра, прозванного ФСБ.

После смерти Феликса Эдмундовича всех его чад и домочадцев, как водится в Советском Союзе, отправили в Сибирь. Позже они получили возможность эмигрировать. Сначала внук прибыл в Израиль, оттуда уехал и основался в Швейцарии. Из разговора с внуком и его поведения я понял, что тот пошел по стопам деда — работает на разведки израильскую и советскую.

С моим переездом в Швейцарию КГБ стал менее активен, оставаясь более-менее в дипломатических рамках. В советском посольстве около половины штата работает на разведку. Какова конкретно структура российского посольства, как и каким образом там вкраплены разведчики? Скажем, какой пост занимал В. В. Путин в Дрездене? А может быть, я не прав? После моего бегства на Запад из посольства СССР в Гааге были уволены все сотрудники до единого, кроме посла, — около ста человек. Выходит, все, как один, были разведчики и все были виноваты в моем бегстве?

В своей автобиографической книге я рассказал, что в Волене у меня была своя квартира и был поставлен телефон. Номера его еще не было в справочниках, но первый звонок состоялся из советского посольства — мне сообщили, что меня лишили советского гражданства. Ничего особенного — номер был известен полиции, и получить от нее информацию было нетрудно. Я понял, что в присутствии советской разведки в Швейцарии мой дом ни в коем случае не «моя крепость» и вскоре переехал к Петре.

В книге не слишком много рассказывается о работе КГБ в Багио (1978). Напомню, что в 1999 году в Англию бежал бывший сотрудник КГБ Митрохин. Он захватил с собой записи, которые он вел будучи на работе. Там есть такая справка: «На Филиппины направлено 17 офицеров КГБ для обеспечения успеха Карпова в матче с Корчным». Честно говоря, я их не видел. Были лишь косвенные доказательства их присутствия. Нашу группу охраняла филиппинская стража. Какие-то принадлежавшие мне предметы пропали, например walky-talky, Библия на русском языке... Несколько на редкость отвратительных физиономий было в так называемой «официальной делегации» Карпова, среди них упоминаемый в книге Пищенко, по некоторым сведениям (из других источников), неподражаемый специалист по молниеносной стрельбе.

С самого начала у КГБ возникла проблема найти документы, сделанные на Петру в Воркуте, где она по милости КГБ провела 10 лет. Лееверик была ее фамилия по мужу, а в Воркуте она сидела под девичьей фамилией Hajny. Но поскольку в русском языке мягкого «х» нет, большинство немецких фамилий переводят на Г (как Hitler, например, Гитлер). КГБ пришлось однажды подсунуть Петре питье и взять с ее стакана отпечатки пальцев. Короче говоря, основные функции работников КГБ сводились к тому, чтобы мешать нам и, конечно, охранять своих. Для охраны парапсихолога Зухаря им пришлось немало поработать. Напомню: когда в зале появились мои болельщики-йоги, они не тронули Зухаря пальцем. Но чувствовал он себя в их присутствии крайне неуютно. В итоге продолжавшейся около месяца борьбы советские добились казалось невозможного — йогов изгнали — благодаря активной поддержке бесстыжего Флоренсио Кампоманеса.

До конца соревнования ждать теперь оставалось недолго. Стража к концу матча вела себя откровенно враждебно. На редкость по-хамски вел себя по отношению ко мне и моим людям организатор матча Кампоманес. Мой многолетний соратник, но во время матча в Багио помощник Карпова Михаил Таль рассказал мне через 12 лет после окончания поединка, что в случае выигрыша мною матча я был бы уничтожен физически, т. е. убит. К этому, сказал он, было все подготовлено. Но совершенно ясно, что исполнить заказ КГБ должны были люди Кампоманеса и диктатора Филиппин Фердинанда Маркоса.

Как я уже сказал, после того как закончился матч, я переехал из Германии в Швейцарию. Моя война с

Карповым на время приостановилась. Но в КГБ по-прежнему раздумывали, какие козни мне устроить. Дважды организовывались поездки в Швейцарию и Германию делегаций, во главе которых были знакомые мне симпатичные женщины из Москвы и Ленинграда.

В своей автобиографической книге я уже рассказывал, что меня однажды пригласила к себе в гости дочь Сталина Светлана Аллилуева. Она считала, что КГБ следит за ней и имеет возможность на расстоянии вселять в нее страх. Боясь нападения сотрудников КГБ, она не единожды меняла квартиры в Штатах. Правильно или нет, я считал своим долгом постараться разубедить ее. Светлане это не понравилось — больше мы не встречались. На самом деле я считаю, что такие возможности у КГБ есть.

К сожалению, в книге очень мало информации о работе КГБ во время матча с Карповым в Меране 1982 года. Думается, все, чем обладала советская разведка на сентябрь 1982 года, все технические, химические, психические методы воздействия — все было использовано тогда для давления на меня, членов моей группы и даже на отдельных видных моих болельщиков. Не забудем, что в группе Карпова, приехавшей из Москвы, было 43 человека, к которым добавились люди из посольства в Риме. Всего их оказалось около 70.

Насколько читатель мог уяснить из первой страницы моего эссе, КГБ делило влияние и власть в стране с двумя другими мощными органами. Трения и дрязги внутри КГБ, конечно, имели место, очевидно, регулярно, но на генеральную линию партии они не слишком влияли. В начале 1983 года всем было ясно, что матч Карпова с Каспаровым не должен состояться — его не хотел Карпов и поддерживающее его безоговорочно партийное руководство. Тонкой игрой с Кампоманесом было договорено, что Кампоманес как место игры выдвинет США. Но советские партийные боссы знали наперед, что США как место игры советской стороной будут отвергнуты. Попутно в центральном аппарате КГБ высказывалось недовольство выскочкой Литвиновым, которому удалось занять удобное место опекуна восходящей звезды — Каспарова.

У меня между тем возникло другое представление о бессменном поводыре Каспарова. Это случилось в 1983 году. У меня не было сомнений в том, что Каспаров не появится в США в Пасадене, где Кампоманес назначил матч (и Каспаров, действительно, туда не приехал). Но осенью того же года Каспаров играл в Югославии в турнире в Никшиче, и организаторам пришло в голову использовать присутствие в Никшиче множества сильных шахматистов, чтобы провести после окончания главного турнира турнир-блиц. В этом турнире-блиц пригласили участвовать и меня. Я прибыл в Никшиче на следующий же день.

Естественно, у меня возникла идея, учитывая, что впервые в жизни я в довольно спокойной обстановке встречался с Каспаровым, поговорить с ним о возможном матче, вместо того, несостоявшегося в США. Мы встретились вчетвером: Каспаров с Литвиновым, а я вместе с моим болельщиком и «ангелом-хранителем», писателем Браной Црнчевичем. На меня Литвинов произвел отличное впечатление. КГБ не КГБ, я видел человека, который смотрел за Каспаровым, как за ребенком, я видел его прямо отцовскую заботу о юном гроссмейстере. Разговаривали... Мне ведь было совсем неинтересно, что меня без состоявшейся игры назвали победителем поединка в Пасадене, и я легко соглашался с тем, что матч должен состояться. Помню, Литвинов предложил, чтобы матч был организован на Филиппинах, где был большой интерес и к шахматам, и к Каспарову лично. Тут я напомнил, что советская военщина недавно сбила в районе Японского моря пассажирский самолет, и среди полутораста погибших было 16 филиппинцев, так что вряд ли сейчас филиппинцы будут болеть за советских. Каспаров «скушал» эту фразу без проблем, а вот Литвинов смертельно побледнел. По-видимому, выражение «советская военщина» он услышал первый раз в жизни. Но на его отношении ко мне, крайне предупредительном и уважительном, это не отразилось.

Мой матч с Каспаровым, как известно, состоялся. Среди различных условий, которые советские должны были (как просители!) выполнить, была отмена советского бойкота мне. Подчеркиваю: я лично на этом пункте не настаивал. Откуда он взялся, как получилось, что бойкот был отменен, не имею понятия. Думается, здесь почувствовалась рука защитника Каспарова в рядах высшего эшелона власти в лице первого секретаря ЦК компартии Азербайджана Гейдара Алиева.

Мне запомнилась еще одна встреча с Литвиновым. Летом 1984 года в Лондоне состоялся еще один матч: СССР против остального мира. На первой доске команды СССР был Карпов, на второй — Каспаров, на третьей — Полугаевский (я обыграл его 2:1). Но не в этом дело. Вскоре начинался матч Карпова с Каспаровым на первенство мира. Я видел перед собой всю советскую шахматную машину. Но единственным человеком, который был за Каспарова, я ощущал Литвинова. И я улучил момент отозвать его в сторону, на прогулку, чтобы высказать кой-какие соображения по поводу сильных и слабых сторон в игре и поведении Карпова. Полковник КГБ и отъявленный враг этой организации и Советского Союза прогуливались по Лондону в мирной беседе!

Разумеется, нашлись соглядатаи, которые немедленно донесли (не по причине ли черной зависти?!) о «сомнительном поведении» полковника Литвинова, и высокое начальство объявило ему взыскание. Прошу прощения у Литвинова. Я не хотел причинить ему осложнений. А мои замечания, надеюсь, принесли Каспарову пользу...

Вскоре я отошел от борьбы за первенство мира, и мои стычки с КГБ прекратились. А еще через несколько лет распался Советский Союз, и я стал наведываться в некоторые его осколки. Во время своих выступлений перед публикой я явственно ощущал душевную теплоту людей, сотен и тысяч людей меня окружавших. Более того, в Ленинграде, Москве, на Украине — везде я чувствовал, что народ как бы извиняется передо мной, что плясал под дудку правительства, что отказался меня поддержать, когда меня стали «лупить» власти... Странно, подумалось мне: старые кадры КГБ — не они ли стали инициаторами такого вот поведения народных масс?!

СОДЕРЖАНИЕ

Гулько Борис Францевич
Корчной Виктор Львович
Попов Владимир Константинович
Фельштинский Юрий Георгиевич

КГБ ИГРАЕТ В ШАХМАТЫ

Редактор *В. Алексина*
Художественный редактор *А. Балашова*
Технический редактор *О. Стоскова*
Корректор *Н. Кузнецова*
Компьютерная верстка *В. Серова*

Подписано в печать 26.06.09 г.
Формат 84 ×108$^{1}/_{32}$. Бумага офсетная.
Гарнитура «Балтика». Печать офсетная.
Усл. печ. л. 10,92. Уч.-изд. л. 11,34.
Заказ 4582

ТЕРРА—Книжный клуб.
127206, Москва, Чуксин тупик, 9.
www.terra.su

Отпечатано с готовых файлов заказчика в ОАО «ИПК
«Ульяновский Дом печати». 432980, г. Ульяновск, ул. Гончарова,14